DES HOMMES

DU MÊME AUTEUR

LOIN D'EUX, *roman*, 1999 ("double", n° 20)
APPRENDRE À FINIR, *roman*, 2000 ("double", n° 27)
CEUX D'À CÔTÉ, *roman*, 2002
SEULS, *roman*, 2004
LE LIEN, 2005
DANS LA FOULE, *roman*, 2006 ("double", n° 60)
DES HOMMES, *roman*, 2009 ("double", n° 73)
CE QUE J'APPELLE OUBLI, 2011
TOUT MON AMOUR, *théâtre*, 2012

LAURENT MAUVIGNIER

DES HOMMES

LES ÉDITIONS DE MINUIT

ISBN 978-2-7073-2154-1

Et ta blessure, où est-elle ?
Je me demande où réside, où se cache la
blessure secrète où tout homme court se
réfugier si l'on attente à son orgueil,
quand on le blesse ? Cette blessure – qui
devient ainsi le for intérieur –, c'est elle
qu'il va gonfler, emplir. Tout homme
sait la rejoindre, au point de devenir
cette blessure elle-même, une sorte de cœur
secret et douloureux.

Jean Genet,
Le Funambule

APRÈS-MIDI

Il était plus d'une heure moins le quart de l'après-midi, et il a été surpris que tous les regards ne lui tombent pas dessus, qu'on ne montre pas d'étonnement parce que lui aussi avait fait des efforts, qu'il portait une veste et un pantalon assortis, une chemise blanche et l'une de ces cravates en Skaï comme il s'en faisait il y a vingt ans et qu'on trouve encore dans les solderies.

Aujourd'hui, on dira qu'il ne sentait pas trop mauvais. On n'ironisera pas sur le fait qu'il viendra manger à l'œil et que pour une fois il n'aura pas à faire semblant d'arriver à l'improviste. On l'appellera Feu-de-Bois comme depuis des années, et certains se souviendront qu'il a un vrai prénom sous la crasse et l'odeur de vin, sous la négligence de ses soixante-trois ans.

On se souviendra que derrière Feu-de-Bois on pourrait retrouver Bernard. On entendra sa sœur l'appeler par son prénom, Bernard. On se rappellera qu'il n'a pas toujours été ce type qui vit aux crochets des autres. On l'observera en douce, pour ne pas éveiller sa méfiance. On le verra avec toujours les mêmes cheveux jaunes et gris à cause du tabac et de ce charbon de bois, les mêmes moustaches épaisses

11

et sales. Et puis les points très noirs sur le nez, ce nez
grêlé, bulbeux, rond comme une pomme. Et puis les
yeux bleus, la peau rosée et boursouflée sous les pau-
pières. Le corps robuste et large. Et cette fois, si on
y prêtait attention, on verrait les traces du peigne sur
les cheveux coiffés en arrière, on devinerait l'effort
de propreté. Et même, on se dirait qu'il n'a pas bu
et qu'il n'a pas l'air trop mauvais.

On l'avait vu garer sa Mobylette devant chez Patou,
comme tous les jours, et puis y faire un détour avant
de traverser la rue pour venir ici, dans la salle des
fêtes, retrouver sa sœur Solange fêtant avec nous tous,
cousins, frères, amis, ses soixante ans et son départ à
la retraite.

Et ce n'est pas à ce moment-là, mais après bien
sûr, une fois que tout aura été fini et qu'on aura laissé
derrière nous la journée de ce samedi et la salle des
fêtes vide avec ses odeurs de tabac froid et de vin, ses
nappes de papier déchirées et tachées, et puis, au-
dehors, la neige ayant fini de recouvrir sur la dalle de
béton, dans l'entrée, les traces de pas de tous ces
invités repartis s'étonner chez eux de la journée, à ce
moment-là donc, que moi aussi je reverrai chaque
scène en m'étonnant de les avoir chacune si bien en
mémoire, si présentes.

Je me souviendrai qu'au moment de la remise des
cadeaux je l'avais regardé, lui, un peu à l'écart, tripo-
tant quelque chose dans la poche de sa veste. D'ailleurs, sa veste, je ne la lui avais jamais vue, mais je la
connaissais. Je veux dire que je ne l'avais jamais vue

sur lui, une veste en daim redoublée de laine à l'intérieur, qu'on apercevait sur le col. Elle était défraîchie, et j'avais eu le temps de penser qu'elle avait appartenu à l'un de leurs frères, à lui et à Solange, lequel aura donné des vieilles affaires en échange d'un coup de main, d'un stère de bois à rentrer dans le garage ou même pour rien, uniquement pour donner à son frère des vêtements dont il ne voulait plus.

Je me suis dit ça en le regardant parce qu'il avait toujours la main droite dans sa poche et que celle-ci semblait tenir ou manipuler un objet, peut-être un paquet de cigarettes, puis non, bien sûr que non, je l'avais vu sortir et remettre son paquet de cigarettes dans la poche arrière de son pantalon.

Les gens s'étaient mis à parler plus fort et à rire aussi, d'un rire qui se déployait d'une bouche à l'autre au fur et à mesure qu'on entendait les bouchons de mousseux et les verres qui trinquaient. Solange avait vu défiler des dizaines et des dizaines d'amis, des connaissances, des visages aussi familiers que ceux des photos dans la vitrine du meuble de son salon.

Allez, Solange, il faut boire.

Et Solange avait bu.

Allez, Solange.

Et Solange avait souri, parlé, ri à son tour et puis on avait presque oublié qu'elle était là, la laissant passer d'un groupe à l'autre, parce que des groupes s'étaient formés, selon les affinités et les connaissances, certains glissant de l'un à l'autre et d'autres au contraire évitant les uns comme les autres.

Je ne sais pas si elle a évité de venir vers lui, sachant qu'elle ne pouvait pas esquiver cette invitation, parce que je sais combien elle la redoutait, plus encore qu'elle redoutait la présence de la Chouette et de son mari, celles de Jean-Jacques, de Micheline et d'Évelyne, et de quelques autres encore. Mais la sienne. Sa présence à lui. Feu-de-Bois. Bernard. Ce malaise que j'avais ressenti chez elle plusieurs fois à cause de la culpabilité qu'elle éprouvait lorsqu'elle se planquait dans sa cuisine pour ne pas lui ouvrir la porte, lorsqu'il descendait jusqu'à La Bassée et qu'après un arrêt prolongé chez Patou il arrivait devant la grille en braillant qu'il aimait sa sœur, qu'il voulait voir sa sœur, qu'il fallait qu'elle lui parle, il le faut, il le faut, disait-il, hurlait-il jusqu'à devenir menaçant parfois parce que personne ne venait et que de toutes les maisons neuves autour ne résonnaient que du silence et du vide. Un silence et des maisons creuses comme des grottes où sa voix semblait se perdre, s'amenuiser, s'effacer jusqu'à ce qu'il se résigne en ronchonnant tout le long de la route, jusqu'à sa Mobylette, laquelle le ramenait chez lui ou encore chez Patou, chez qui il devait finir de noyer sa déception d'avoir fait chou blanc en rebuvant un verre, le dernier, pour la route, jusqu'à ce qu'il se laisse convaincre par Patou que Solange devait travailler, il faut bien que les gens travaillent, une femme toute seule avec des enfants, tu comprends.

Et lui finissait par dire oui, sans doute, je comprends, ma sœur qui est seule, ma sœur et ses enfants.

Il baissait les yeux et rougissait de toute cette injustice, tout ce gâchis, disait-il aux clients, à qui voulait l'entendre, ou plutôt à ceux qui n'avaient pas mieux à faire qu'à rester là à l'entendre plutôt qu'à l'écouter, malgré la voix de Jean-Marc qui le sermonnait gentiment, ou celle de Patou,

Oui, Feu-de-Bois, on le sait, oui, Feu-de-Bois, ta sœur, oui, c'est vrai, Feu-de-Bois.

Et lui, en partant, finissait par cracher près de la porte, toujours au même endroit, toujours titubant, à deux doigts de s'écrouler et ne s'écroulant jamais, robuste dans sa façon même de se tenir pitoyable, faible, moribond jusqu'au cœur.

Mais c'était son impatience. C'était cette façon de sourire. Une sorte d'hostilité dans sa présence, ou de la méfiance, déjà, comme toujours, ou même, oui, une forme de condescendance.

C'est ce que je me suis toujours dit.

Et même à le voir comme ça, plutôt récuré que propre quand toute sa propreté sentait l'effort, le travail, l'acharnement à vouloir être présentable.

Et moi cet après-midi je l'ai regardé longtemps. Je ne sais pas pourquoi, mais mes yeux revenaient vers lui. Et lui ne me voyait pas. Je le regardais échanger quelques mots avec Jean-Marcel, avec Francis, je le regardais sourire aux enfants qu'il ne reconnaissait pas.

Et puis soudain il s'est décidé.

Je l'ai vu se redresser, se tendre entièrement et chercher du regard cette fois très ouvertement, non pas comme il avait fait jusqu'à maintenant, en cati-mini, mais en tendant le cou et en ouvrant grand les yeux. J'ai eu le temps de voir qu'il a sorti de sa poche un objet, mais trop petit pour que je le voie, que je comprenne. À peine aperçu une forme noire que sa paume a engloutie. Les doigts se sont refermés tout de suite. Le poing serré, large, épais et rugueux.

Et puis il a avancé. Et puis il a appelé Solange. Et puis en avançant vers elle il a appelé Solange de plus en plus fort. Jusqu'à ce que les gens s'arrêtent un moment, qu'ils le regardent et s'étonnent de son élan, de ce mouvement tout à coup et de son sourire, de l'énergie et moi j'aurais dit plutôt que c'était la foi d'un illuminé (mais j'ai des raisons pour l'avoir pensé et vu comme ça), mais ce n'était pas ça, c'était la joie d'un homme un peu étrange et déphasé qui devait ne pas aimer être là, lui qui n'y serait certainement pas venu s'il ne s'était agi de l'invitation de Solange. Je veux dire qu'il ne serait pas venu à l'invitation d'un de ses frères ou d'une des autres sœurs, d'aucun d'entre eux, à qui il parlait de temps en temps et de qui il acceptait pourtant quelques rares invitations, parfois, mais seulement pour remercier du don de vieux vêtements ou par besoin de manger, par faim, parce que la faim le sortait de chez lui.

Ils se sont écartés pour le laisser passer. Il a fallu un certain temps pour que l'étonnement enfle suf-fisamment pour que cessent les mouvements, les regards, les phrases. Il a fallu du temps pour que ralentissent et se stabilisent les mouvements. Il a fallu autre chose qu'un geste ou un rire, il a fallu un cri.

Pas un cri d'horreur, d'épouvante. Non. La voix qui se brise dans sa stupéfaction, un élan et quelque chose qui se fracasse contre lui. C'était seulement un peu au-dessus des voix et de l'attention qui flottait, vaguement tournée vers lui, vers son mouvement et sa voix, son geste tendu vers Solange, mais pas encore suffisamment insistant pour qu'on se taise et que tous écoutent.

Pourtant quelqu'un voit, toujours.

Et ici c'est Marie-Jeanne qui a vu la première, parce qu'elle était proche de Solange et qu'au moment où il est arrivé vers la table contre laquelle celle-ci s'était légèrement appuyée – sa main était posée sur le bord du plateau, bien à plat sur la nappe de papier, Marie-Jeanne cherchait à déguster encore un de ces merveilleux petits fours en forme de tartelette avec de l'anchois ou de la crème au thon lorsqu'elle a dû se déplacer, se retourner, peu importe, et le voir soudain devant elle, de sorte qu'elle a cru qu'il était maintenant là, la main tendue avec cette petite boîte non pas noire, comme je l'avais cru d'abord, mais d'un bleu nuit très profond, cerclé d'un liseré d'or, pour elle, pour lui offrir ce cadeau qu'elle n'attendait pas et qu'elle a vu venir de sa grosse main calleuse à lui, cet homme si inattendu ici, devant elle, si redoutable qu'elle aurait crié de toute façon, même s'il n'avait rien dans la main, même s'il n'avait pas tendu la main ni le poing, ni non plus cette petite boîte bleu nuit.

Alors oui il faut entendre ce silence particulier, cotonneux, et la neige qui s'était remise à tomber, peut-être, le silence les jours de neige, comme si quelque chose de ce silence était entré dans la salle des fêtes. On aurait pu aussi bien dire un ange passe, mais ça a duré un temps, un instant trop court. Parce que Marie-Jeanne s'est ressaisie tout de suite, qu'elle s'est redressée et a enfourné un petit four puis a ri,

Oh, tu m'as fait peur !

Sans que lui ne bouge ni ne dise rien, parce que déjà elle avait recommencé à ricaner,

Tu veux me faire une déclaration ?

Et tout le monde alors s'était mis à rire, c'est-à-dire, pas encore tout le monde, non, seulement ceux qui étaient très proches d'eux et avaient assisté à la scène et ont pu témoigner, après, lorsqu'il est parti, que tout a été définitivement scellé et terminé à ce moment précis. Parce que lui n'a pas ri du tout. Il a regardé Marie-Jeanne, son collier de perles irisées scintillant sur sa grosse poitrine rebondie, la robe vert pomme et son col cagoule, les cheveux teints aux reflets gris souris et mauves, et cette bouche qui souriait, riait maintenant que l'étonnement et la stupeur c'était lui qui les éprouvait et non plus elle. Et lui ne bafouillant pas, pas un mot face à elle qui riait et cherchait du regard la complicité des autres, de Jean-Claude, son mari, qui s'était approché en entendant sa femme et qui continuait alors à rire, lui, le mari, se voulant espiègle, se croyant drôle, fier tout à coup, presque bravache en répétant,

Attention, je te surveille mon copain.

Quand d'autres voix venaient derrière la sienne,

Eh, Feu-de-Bois, t'es pas discret !

Quel playboy ce Feu-de-Bois !

Attention, je te surveille mon copain.

Et il ne riait pas du tout en regardant Jean-Claude, en écoutant les rires et puis en revenant vers Marie-Jeanne, dont les ricanements faisaient sautiller quelques miettes de tartelette au thon sur le vert pomme de sa robe.

Il a eu un mouvement sec, discret pourtant, par lequel il a fermé la bouche et peut-être même mordu sa lèvre sous les grosses moustaches jaunes et grises. Mais ce n'est pas sûr. Pas certain. Parce que son visage était comme un masque rouge et bouffi percé de deux yeux liquides, d'un bleu voilé de gris, d'eau de pluie ; et ce voile n'était pas des larmes, ce voile n'était rien, Feu-de-Bois n'était rien lui-même qu'un bloc de silence qui s'est rétracté, refermant la main sur la boîte bleu nuit.

Solange est arrivée.

C'est-à-dire, je me trompe, elle s'est seulement retournée vers lui. Oui, c'est ça. Elle était à côté. Puisqu'elle était juste à côté. Elle a eu seulement le geste de se retourner. Enlever, retirer la main posée sur la nappe. Se retourner. Glisser puis voir son frère, soudain devant elle.

Elle a laissé un moment avant de parler. Parce que, au début, elle n'a pas compris qu'il était venu vers elle lui tendre ce paquet qu'il n'avait pas donné au même moment que les autres. Comme si lui, bien sûr, naturellement, il n'aurait pas à faire comme les autres. Il n'aurait pas à se mêler aux autres. Mais peut-être que je lui prête des intentions qu'il n'a pas eues. Parce

19

n'était pas ce mépris, cette façon souveraine, ces manières d'aristocrate ruiné et désabusé. C'était peut-être seulement parce qu'il avait voulu le remettre à sa sœur d'une manière plus intime et moins solennelle que devant le regard et le jugement de tous les invités. Puisqu'il avait dû penser et croire – il avait eu raison – que les invités regarderaient son cadeau avec plus de sévérité que n'importe quel autre, vu, n'est-ce pas, cette question surgissant dans l'esprit de quelques-uns d'abord, puis de tous, qu'on se demande bien ce que peut offrir un type qui n'a rien.

Ils n'ont pas eu à attendre longtemps.

Bon anniversaire, a-t-il dit. Et la main gauche qui est venue vers celle de Solange, les gros doigts roses et secs, boursouflés mais aussi blessés, usés par le froid et les travaux qu'il faisait toujours sans gants, soudain saisissant la main de Solange et la ramenant vers son autre main à lui. Comme pour que personne ne voie.

Et, cette fois, il lui a encore souhaité un bon anniversaire, mais en souriant, la voix si faible et tremblante qu'on ne l'a pas entendue vraiment, juste devinée sous celles qui parlaient, plus loin, des enfants qui criaient en jouant et en courant, et les trois vieilles assises là-bas, sur les chaises en plastique gris, près du chauffage, qui caquetaient en grelottant. Puis ce silence et cet étonnement lorsque Solange a baissé les yeux sur la boîte, reconnaissable par son format mais aussi parce qu'on pouvait y lire, en lettres d'or, le nom de la famille Buchet, horloger-bijoutier depuis deux générations.

20

Elle a regardé son frère sans oser ouvrir la boîte. Sur son visage, avant tout, elle a laissé l'incrédulité se répandre, s'étendre sur chacun de ses traits et laisser son empreinte, longtemps, très profondément. Et parfois elle se mettait à sourire (c'était presque un rire, même, lorsqu'elle tournait son regard vers les autres, vers ceux ou celles qui étaient tout de suite à ses côtés, ou au contraire un peu plus loin, comme moi, derrière un groupe de quelques-uns qui avaient arrêté tout mouvement, toute parole, et tenaient tout à coup en l'oubliant, leur verre dans la main, une cigarette).

Bon, ouvre, Solange.

Je crois que c'est à ce moment-là qu'elle a envisagé tout ce qui avait dû se produire pour qu'on en arrive là, à ce moment précis de tenir dans sa main la boîte d'un bijou – parce que, pas de doute, c'était un bijou – qu'elle n'osait pas ouvrir, parce qu'elle savait non pas ce qui s'y trouvait mais les conséquences, les doutes, les risques, la peur déjà, je suis sûr, il suffisait d'entendre, de voir, de regarder comment le silence était à la fois poreux et épais, traversant dans la salle des fêtes les fumées de cigarettes et les souffles des invités.

Lui devait seulement se demander si son cadeau allait plaire. Et son cœur devait taper, battre comme un fou à cette question, uniquement à cette question, quand autour de lui déjà on commençait à s'étonner, à s'exaspérer d'attendre et de se dire, de se demander, je rêve, un bijou, un bijou, il n'a pas pu offrir un bijou, comment il peut offrir un bijou, il faut qu'elle ouvre la boîte, qu'elle regarde, elle ne veut pas parce

21

qu'elle sait, oui, elle sait ce qu'elle va trouver sur le tapis de velours bleu, elle sait qu'il faudra taire son angoisse et la question que tout le monde aura en tête, à part lui, lui seul, dont la seule question n'aura plus aucun sens,

Est-ce que ça te plaît ?

Est-ce que ça te plaît ?

La question déjà sur le bord des lèvres, remuant dans sa bouche, prête à venir, sous forme de murmure, de prière, mais pour l'instant sans rien que l'attente fixe qui plongeait dans ses yeux à elle, où bientôt il n'aurait plus à voir que la terreur et l'incompréhension. Pourtant elle a hésité. Elle a tout fait pour retenir le moment. Pour reculer. Pour ne pas. Ne pas ouvrir. Ne pas regarder dans la boîte, mais seulement lui sourire et sourire autour d'elle. Elle a fermé les yeux puis les a rouverts. Elle a repris sa respiration. Elle a esquissé des morceaux de phrases, de remerciements embarrassés qu'elle ne lui adressait pas à lui, son frère, mais à tous. Puisque tous attendaient qu'elle parle, qu'elle en finisse de son sourire et des phrases creuses ne disant rien,

Il fallait pas, Bernard, je, je comprends pas.

Et son visage qui palissait, sa peau blanche sous le maquillage, livide bientôt, comme si le sang et la vie et les idées et toute possibilité de tenir face à lui s'échappaient d'elle, s'évaporaient ou s'enfouissaient dans les replis de son corps.

Ben, ouvre, Solange.

Oui. Oui, oui, bien sûr. Oui, évidemment, je vais ouvrir, il faut que je l'ouvre, je suis bête. Sacré Bernard, hein, il est fou. Il est fou, non ? Quand même. Je. Je.

Et ce moment de bascule dans son regard, lorsqu'elle a ouvert la boîte et que la broche est apparue.

Une grande broche en or nacré. De l'or poli et diamanté rehaussé d'un motif fleur en nacre.

J'ai hésité avec un scarabée qui me plaisait bien, a-t-il dit comme pour déjà se défendre ou expliquer le choix qu'il avait fait. Comme t'aimes bien les broches, je me suis dit que tu aimerais, a-t-il dit.

Elle a répondu par un signe de la tête, avec une sorte de précipitation, presque de panique dans les mouvements du visage.

Et on pouvait voir que son regard cherchait autour d'elle comme une aide, comme l'énergie, la force d'une réponse, d'une solution : mais autour d'elle la même question s'étalait sur les visages.

Comment il a pu faire ça ?

Comment c'est possible, avec quel argent ?

Lui qui n'a pas d'argent et vit au crochet des autres, tous les autres autour de lui, dont les regards allaient de la broche à lui et de lui à la broche, puis de la broche à eux, entre eux, des regards qui posaient les mêmes questions et laissaient déjà voir la même stupéfaction, déjà la colère.

Solange est restée sans rien dire, émue aussi, pas seulement pétrifiée ou choquée ou troublée mais aussi et peut-être d'abord émue, je le crois, c'est ce que je crois, moi, quand sur le moment j'ai pensé qu'elle avait peur, d'une peur indécise, floue, confuse, liée plutôt à ce qui arriverait bientôt qu'à ce moment-là, présent, de tenir et de regarder dans sa main cette petite boîte bleu nuit dont elle n'osait prendre la broche.

Prends-la, Solange. Mets-la donc.

Oui, oui, bien sûr.

Je venais d'approcher, j'étais maintenant à côté de lui, tout près. Je sentais cette odeur, ce mélange de savon, de propreté trop vive qui avait dû arracher la peau et les squames. Et cette odeur indéfinissable des gens sales, cette persistance de saleté, âcre et aigre, ce relent douceâtre d'urine.

Et j'ai vu les doigts tremblants de Solange, lorsqu'ils ont saisi la broche. Elle s'est retournée pour poser la boîte sur la nappe. Elle a retiré sa broche en forme de laurier, puis encore une fois elle a regardé la broche. Longtemps. Puis alternativement en regardant son frère. Puis autour d'elle, partant d'un rire un peu idiot, gloussant presque pour se cacher à elle-même qu'elle était en train de rougir, de s'étrangler aussi, un peu, d'étrangler les mots et la stupeur qu'ils recouvraient. Elle a épinglé la broche à la place de la précédente. Elle est restée comme ça, il faut que je t'embrasse, et puis elle a tendu le visage vers son frère, et ils se sont embrassés.

Elle te plaît alors. Est-ce qu'elle te plaît ?

Oui, bien sûr qu'elle me plaît.

Solange a répondu d'une voix hachée, son débit de plus en plus faux, sans conviction, comme si pour elle

24

le souci était d'abord d'en finir au plus vite, que chacun reparte, que Feu-de-Bois s'en aille, qu'il ne soit jamais venu, qu'elle n'ait plus à vivre ce moment-là ni le mensonge de ce *bien sûr* auquel elle ne croyait pas, elle, pas plus que les autres, nous tous autour d'elle comme on aurait pu se réunir autour d'un feu non pour trouver la chaleur et la lumière mais seulement attirés par le crépitement d'un petit drame, une histoire à raconter, l'anecdote du type fauché qui offre à sa sœur, au vu de tous ceux qui lui auront fait l'aumône une fois, une broche qu'aucun d'eux n'aura jamais les moyens d'offrir à personne.

Et les yeux de Solange qui ont cherché autour d'elle un secours qui n'est pas venu, chacun tout à coup découvrant dans ses mains une cigarette à allumer ou à écraser, un verre à demi-vide à remplir tout de suite, à moins que ce ne soit le contraire, à vider très vite, d'un trait.

Parce que Solange a continué, un peu. Les larmes ne l'étouffant pas encore mais seulement un embarras terrible, monstrueux, qui gonflait dans sa gorge comme maintenant, dans le regard, l'incompréhension. Et lui qui s'était mis à rire, oui, au début, un rire, les mains qui ont glissé dans ses poches et puis l'une qui est revenue caresser les moustaches comme pour les coiffer, les plaquer contre la bouche avant que la main plonge dans la poche arrière puis ressorte avec un paquet de Gitanes. Et cet air timide qu'il a eu pour répondre à sa sœur avant même qu'elle parle,

T'occupe pas de ça.

Bernard. C'est une fortune.

T'occupe pas de ça, je te dis.

Comment t'as payé ?

Elle te plaît ?

C'est pas la question.

C'est quoi la question ?

Et soudain, disons, l'émotion. Ce débordement qui lui nouait le ventre et contre lequel elle jetait toutes ses forces. Elle a laissé sa voix s'enrayer et partir dans un rire un peu trop aigu, un peu pathétique, il me semblait. Enfin, pas seulement que son rire était pathétique. Mais aussi sa façon de le mettre en scène, puisqu'elle savait très bien ce que tout le monde commençait déjà à se demander et à commenter, pour l'instant par des regards, des glissements de voix et de coudes, une main posée sur un bras, une bouche dessinant une moue dubitative, circonspecte, une tête dodelinant d'un air entendu et des airs, sourcils surélevés, fronts plissés, gestes et signes qu'on laissait traîner sur soi pour que d'autres les aperçoivent.

Nicole m'a regardé, j'ai eu le temps de comprendre qu'elle voulait intervenir, sans trop savoir comment, sans que moi non plus j'en sache rien.

Et ça a continué un moment.

La Chouette avec son manteau boutonné jusqu'au cou, la fourrure de zibeline blonde poussiéreuse et terne, qui est venue à la charge, non pas demander des explications, pas encore, ni elle ni Évelyne, c'est-à-dire que, pour l'instant, les premiers se sont approchés pour voir, pour regarder de plus près, l'une des

26

sœurs, Évelyne, et une belle-sœur, la femme de Jean-Jacques (et ce dernier peut-être réellement indifférent, à l'écart, près de la cuisine, qui discutait avec Pingeot et Chefraoui). Elles se sont approchées toutes les deux. Puis Marie-Jeanne. Solange m'a regardé de loin. Je me suis approché aussi. Nicole au contraire a reculé.

Je suis resté là, laissant s'attarder mon regard vers les dos de ceux que je voyais maintenant avançant, s'approchant de Solange sans encore oser trop parler ou balbutier ce qui déjà pourtant devait leur brûler les lèvres, puis bientôt ce serait pareil pour les autres, ceux qui se sont approchés, ont été là, si près, si intéressés, les frères et les sœurs, les beaux-frères et les belles-sœurs – mais pas les amis, pas les connaissances, pas les autres, ceux de passage, dont la présence n'était pas la plus attendue –, et j'ai vu comment Solange a hésité en relevant les mains vers la broche, puis en se décidant franchement à la retirer, prétextant quoi, je ne sais pas, rien, peut-être rien, elle ne va pas avec ce pull, elle est trop belle, oui, trop belle pour ce pull, tu es fou, Bernard, de l'or, et puis quoi, avec quel argent.

Et alors la Chouette se redressant vers Feu-de-Bois, lui décochant un regard assassin,

Elle est belle, hein, elle est belle, oui, ça oui, tu peux le dire.

Puis Évelyne sanglotant presque, sa voix vibrant pour supplier,

Nous, on t'a aidé tant qu'on a pu et toi, comment, comment tu peux ?

Et lui alors ne souriant plus et se redressant :

C'est à Solange. C'est pour Solange, ça regarde personne.

Et c'est bien après, en fin d'après-midi, avec les gendarmes et le maire, installée dans l'arrière-salle de son bar, que Patou, s'asseyant à l'une des tables en fumant cigarette sur cigarette, comme elle ne savait pas qu'elle pourrait le faire un jour pour Feu-de-Bois, raconterait comment il était arrivé dans son bar après l'incident de la broche.

Ce qu'elle a dit : il n'a pas compris. Il a vraiment voulu faire pour le mieux, des semaines qu'il avait pensé à son cadeau. En fait il en avait déjà parlé, a-t-elle raconté. Mais comme toujours on avait dû le laisser parler et ponctuer son discours, pour l'accompagner, de petits *oui* qu'on ne s'entendait même pas prononcer.

Oui, Feu-de-Bois. Une broche, oui. Feu-de-Bois. Elle sera contente ta sœur, oui, c'est bien, oui, une broche, bien.

En rinçant les verres et en servant les uns ou les autres, des ouvriers pour le déjeuner ou des jeunes au billard, seulement pour agrémenter son soliloque,

Oui, Feu-de-Bois,

Mais sans écouter vraiment lorsqu'il avait dit être allé chez le bijoutier, chez Buchet.

Alors que c'était monsieur Buchet lui-même qui était sorti de la réserve dans laquelle il travaillait, parce que sa femme l'avait appelé de suite, avant même que Feu-de-Bois n'ait franchi la porte et encore moins parlé, attendant qu'une cliente ait fini de régler puis qu'elle sorte.

Il était resté à sourire un moment assez long, les mains triturant son bonnet, l'air sans doute assez idiot ou enfantin, même si sa carrure était trop épaisse, son regard, son visage, son corps trop bourru pour qu'on pense à l'enfance en le voyant dans son pull citrouille largement troué, ou même seulement à l'image qu'on se fait de l'enfance, de la timidité et de la maladresse enfantine. Et s'il a été puéril, ça a été plutôt dans la façon de sortir de la poche de son parka la grosse enveloppe jaune et d'en retirer l'élastique rouge pour étaler sur le comptoir une liasse épaisse de billets de deux cents francs.

Le bijoutier et sa femme auront parlé de ça aux gendarmes : les billets sur le comptoir, et la voix de Feu-de-Bois,

Voilà, ce serait pour une broche.

Les deux époux avaient dû se regarder, et sans rien dire se répartir les tâches, lui sortant les trésors de leurs boîtes, présentant quelques plateaux de velours noir ou bleu sur lesquels brillaient les plus beaux bijoux, voyez, on a de tout, et sa femme courant vite glisser l'un des billets dans l'une de ces machines pour vérifier s'ils avaient à faire à de la camelote ou du véritable argent (tout cet argent qu'il avait laissé sur le comptoir, avec dédain, sans y prêter attention, lui, un pauvre type, un clochard), et même, incrédule peut-être, les frictionnant, les palpant, les vérifiant

29

une dernière fois à la lueur d'une lampe électrique, avant d'envoyer un coup d'œil à son époux, pas de problème, c'est du solide. Monsieur Buchet aura peut-être aussi fait état des doutes de Feu-de-Bois quand celui-ci avait hésité longtemps entre deux broches, abandonnant finalement le scarabée d'or, au grand désespoir de madame Buchet, parce qu'elle savait que la puanteur de ces hommes-là s'incruste comme celle que dégage le poil des chiens sous la pluie ; elle devait maudire ce scarabée d'or et son mari qui entretenait l'hésitation plutôt que d'inciter à en finir, oui, qu'on en finisse, qu'il paie et déguerpisse, lui et sa broche et ce qui restera de son énorme rouleau de billets, mais surtout sa crasse et sa puanteur, cette infection qu'il faudrait des semaines, sûr, à n'en pas douter, des semaines pour chasser complètement.

C'était la nuit, comme la nuit s'installe dès la fin de l'après-midi en décembre, c'est-à-dire parfois un peu avant la fin d'après-midi, très tôt, très noire. Dehors, je voyais danser la neige en gros flocons alternativement bleus et orange, parce que les décorations de Noël éclairaient l'avenue sur toute la longueur.

Ce qu'elle a dit, Patou, aux gendarmes, au maire et à moi aussi, c'est que bien sûr elle était au courant pour l'argent.

Dans le bar, il n'y avait personne. Jean-Marc était au comptoir. Parfois une voiture s'arrêtait devant l'entrée, quelqu'un surgissait du côté de la portière passager et déboulait en saluant et en se plaignant du temps. Jean-Marc vendait des cigarettes, la voiture repartait aussitôt. Puis il revenait vers nous avec le paquet d'air froid que le client laissait s'engouffrer à son départ. Il ne disait rien, Jean-Marc. Parfois, il acquiesçait lorsque Patou relevait les yeux vers lui et cherchait son soutien, et nous l'avons entendu répéter qu'il savait bien, et que Patou le savait aussi parce que Feu-de-Bois le leur avait dit, ne s'en était pas caché, en remboursant son ardoise rubis sur l'ongle, à coups de billets de cent et de deux cents francs, chiffonnés et un peu rances, avait-elle précisé (oui, ça, elle a insisté, les billets étaient vieux), qu'il avait eu une énorme entrée d'argent. Autant d'argent que pourrait en contenir son cercueil. Non. Pas le sien, bien sûr. Pas son cercueil à lui. Elle s'était reprise quand moi soudain j'ai dit,

Sa mère, c'est l'argent de sa mère.

Voilà ce qui m'a traversé l'esprit. Sa mère. Que cet argent-là non seulement n'était pas tombé du ciel mais qu'il était allé le chercher, se servir, oui, c'est ça, chez sa mère, lorsque, trois mois plus tôt, Solange et Évelyne étaient venues prendre la Vieille chez elle pour l'accompagner à la maison de retraite. Avant qu'on prenne les quelques affaires qu'elle avait voulu emporter, et surtout qu'on referme la maison. Sans doute c'était là qu'il était venu, lui qui était le seul à vivre encore à proximité du lieu-dit, de ce qui en restait, ça a été facile d'entrer, de fouiller, de vider les placards et de chercher l'argent qu'elle avait dû cacher quelque part, dans une boîte à chaussures, ou derrière, dans la grange, dans les box en ciment, là où autrefois on tuait le cochon.

Parce que là il y a des caches possibles. À moins que ce ne soit tout bonnement sous son lit, entre les planches de son armoire.

Il avait trouvé.

Et c'était bien sa façon à lui, ça, de voler sa propre mère comme pour récupérer ce qu'il estimait avoir perdu, alors que le jour de son départ il s'était pointé et était resté sans rien dire, quelques mètres plus haut, pour la regarder s'en aller chez les vieux, sans retour possible là où elle avait toujours vécu, comme si maintenant c'était lui le seul propriétaire des lieux, héritier d'une longue lignée – fin de siècle, fin de race, fin de la fin – mais l'œil aiguisé et la détermination claire, figée, d'autant plus fixe et méchante qu'elle était l'aboutissement de plusieurs siècles de boue, de travail aux champs et pour lui, c'était sûr, de l'humiliation, de l'exploitation des uns et des autres par une seule femme, courbée, vêtue de noir et mordant d'un coup d'œil bleu pâle, son territoire, sa vieille maison malade et la remise en face, de l'autre côté de la rue.

Rabut ?

Oui, pardon. Je pensais à sa mère.

Il vous aime pas beaucoup.

Non, je crois pas.

Et de raconter alors comment il était arrivé tout à l'heure, juste après l'épisode de la broche.

On l'avait vu traverser la rue sans même vraiment faire attention, en début d'après-midi donc, peut-être vers une heure et demie, ou un peu plus tard. Il n'avait rien dit en entrant dans le bar, ne s'était pas arrêté au comptoir et n'avait pas même jeté un coup d'œil de ce côté-là, contrairement à ses habitudes. Il avait traversé la première salle puis avait choisi de s'asseoir au fond, à une table près du mur et du juke-box. Patou était venue vers lui, surprise de le trouver déjà ici. Il avait raconté avoir faim et n'avait pas répondu lorsqu'elle lui avait demandé pourquoi il ne restait pas déjeuner avec les autres.

Elle s'était bien doutée qu'il faudrait qu'il boive et qu'il mange pour que la langue se délie et que les yeux s'ouvrent enfin, qu'ils regardent devant eux quelqu'un à qui parler, même pour seulement débiter les phrases qui devaient se bousculer dans sa tête et dont elle avait vu, deviné, imaginé les chocs et les attaques en le regardant bientôt mastiquant les pommes de terre comme si c'était de la viande trop cuite.

Parce qu'il avait mangé et bu très vite.

Tout à coup il avait voulu dire ce qu'il avait sur le cœur, ce cœur trop lourd, tout près de lui péter dans la gorge, comme il avait dit lorsqu'il avait commencé à parler ; tu vois, il a dit, me péter dans la gorge à force, se resservant du vin et buvant à gros bouillons des gorgées qui auraient suffi à noyer deux ou trois portées de chatons. Et il mastiquait encore en parlant, en mordant dans le pain, les pommes de terre et le hareng, indifférent au spectacle qu'il donnait de lui-même, comme s'il ne le voyait pas lui non plus, qu'il n'y assistait pas et ne savait pas qu'il était obscène, sale, répugnant aussi, à déglutir comme il le faisait en laissant l'huile tapisser sa bouche et son menton de son épaisse matière gluante et brillante. Mais ce n'était pas un ogre non plus, pas un monstre, juste un type en qui la colère montait pour remplacer l'incompréhension et le sentiment d'injustice, de mépris, de haine dont il se sentait victime.

Parce que quand même, lui qu'on avait connu si grande gueule et hautain, c'était comme si un ressort avait été cassé à force d'avoir été trop tendu, trop remonté, et fait place à un flottement qu'on voyait danser dans le bleu de ses yeux, quand il vous regardait ou qu'on croyait être regardé par lui, sans en être sûr, seulement imaginant que c'était un regard à cause d'une légère insistance, d'une fixité glauque malgré le clignement de la paupière.

Et c'est comme ça qu'il avait dû parler à Patou et raconter son désarroi de voir Solange retirer la broche, et les autres, les frères et les sœurs, les voir se pointer autour d'elle comme les rapaces qu'ils étaient, flairant l'argent, tout cet argent, comme s'ils en étaient propriétaires et comme si, surtout, de lui aussi ils étaient propriétaires, tas d'idiots, eux, des ploucs qui n'ont jamais vu Paris qu'en photo ou dans l'écran de leur télé, qui n'ont rien vu que l'eau de la rivière et les mares gluantes comme du mazout où les vaches allaient boire lorsqu'ils étaient enfants.

Oui. Son mépris. Son mépris d'eux. Sa colère.

Et Patou a raconté comment parfois elle devait se lever pour servir quelqu'un au comptoir ou en salle, et que lui alors se taisait, a-t-elle dit, et buvait, café, gnole, vin, puis encore gnole, puis encore vin, puis

34

marmonnait et regardait par la porte vitrée pour apercevoir ceux qui sortaient de la salle des fêtes, parce
que maintenant l'apéritif était terminé ; on avait dû
installer les tables et les couverts pour le déjeuner
qu'on avait dû commencer à servir.

Alors il s'était levé. Il était venu vers le comptoir,
non pas en regardant droit devant lui mais la tête
inclinée vers le dehors, de l'autre côté du trottoir, en
face, ne voyant que la porte et au-dessus la grande
façade peinte en jaune. C'est ça qu'il regardait.
Lorsqu'il a pris une cigarette,

Tiens, ressers-moi. Un rouge.

Et puis le temps de dire,
Ils ont toujours crevé de jalousie.

Et le pire, a-t-elle dit lorsque le maire a avancé qu'il
avait sans doute tout prémédité, cette provocation,
cette mise en scène, c'est que, non, je vous jure que
non, j'en suis certaine, il était convaincu que personne
ne trouverait rien à redire.

Elle a même poursuivi en racontant comment, si
elle avait un doute, maintenant, c'était qu'à cause
d'elle il avait plus facilement basculé dans la colère.
Certes, il était déjà à deux doigts de basculer à cause
de tout l'alcool qu'il avait bu et qu'il buvait d'autant
plus facilement qu'il s'étourdissait de s'entendre lui
dire, à elle, ce qu'il avait sur le cœur ; par exemple
évacuer par les mots cette humiliation à laquelle elle
n'avait pas assisté, au moment où Solange avait retiré
la broche et où ses frères et sœurs – pas tous, c'est

35

vrai, d'accord, mais quand même ils formaient le premier cercle et d'autres étaient venus les entourer, d'autres, ils étaient là aussi, contre lui, pour voir et entendre les reproches qu'on lui ferait, comme le ferait la cadette, Évelyne, en geignant, en pleurnichant,

Après tout ce qu'on a fait pour toi.

Et qui aura parlé en premier de la Vieille. Qui aura dit : la mère.

T'es allé dépouiller la Vieille.

Et Solange lâchant d'un souffle,

Ça suffit,

Reprenant,

Taisez-vous.

Lui, il avait reculé sans rien dire. Il avait laissé parler. Il avait laissé faire, comme toujours. Comme à chaque fois que le vent se lève. Le grain, il y a du grain. Voilà ce qu'il avait pensé et n'avait pas dit, pas encore, reculant seulement et, les mains dans les poches, trouant, forant un passage parmi tous les regards et les corps hostiles autour de lui, ou bêtes seulement, des corps idiots qui venaient voir, il était sorti et vite, dehors, avait traversé la rue pour s'engouffrer de ce côté-ci, chez Patou.

Et celle-ci a regardé Jean-Marc lorsque les gendarmes ont dit que c'était grave. Elle, après, elle a voulu sourire et servir encore un verre de vin. Et comme pour détourner la conversation, elle m'a demandé,

Dites-moi, Rabut, ça fait des années que je veux vous demander, pourquoi il vous appelle le bachelier ? Il y a une histoire avec ça ?

J'ai vu sa main trembler en remplissant les verres à ras bord. Je me suis contenté de sourire, oui, une histoire.

Rien du tout, une histoire entre lui et moi. J'aurais voulu continuer l'école et lui trouvait ça prétentieux, l'idée d'avoir son bac. Il faut dire qu'à l'époque, avoir son bac. Et puis chez nous, ici, moi, un cousin à lui. On ne peut pas se rendre compte. Bien sûr que je ne l'ai pas, ce bac. Que je n'ai jamais eu l'occasion de le passer. Mais lui, ça l'a toujours amusé que je puisse même y penser.

Ce que j'ai dit à Patou : C'est comme une blague entre nous.

Elle n'a pas relevé, elle avait seulement demandé pour dire quelque chose. Parce qu'elle devait avoir encore la même idée pour la tracasser, une idée qu'elle aurait désormais dès qu'en mémoire elle reviendrait sur cette journée : qu'elle avait attisé sa haine lorsqu'elle avait voulu lui faire comprendre la provocation de son geste, là où la naïveté ne pouvait pas être comprise, par personne, et certainement pas par eux, ses frères et sœurs.

Elle avait voulu lui faire comprendre, c'est tout. Qu'il comprenne l'étonnement d'abord, et l'idée qu'il avait volé de l'argent à leur mère, quand la question de payer la maison de retraite avait été posée, débattue, chacun acceptant de payer davantage pour que lui n'ait rien à débourser. Et on le voyait trois mois plus tard jetant l'argent par les fenêtres – leurs fenêtres – leur argent – sous leurs yeux – à eux.

C'est ça qu'il avait fait.

Feu-de-Bois, faut les comprendre. À part un ou deux, ils n'ont pas beaucoup d'argent.

Et lui n'avait pas répondu, et il était sorti. La voix de Patou était restée suspendue, comme ça, comme des particules chimiques qu'on ne voit pas vont se dissoudre, n'être plus rien dans l'air dégagé et le bleu du ciel. Ils l'avaient regardé par la porte vitrée. Comme d'habitude, il avait craché sur le trottoir en traversant, chancelant, plus soûl qu'ils ne l'auraient cru. Et plus inquiétant aussi. Parce que, là, ils avaient sans doute eu un peu peur. Certainement plus encore qu'ils nous l'ont confié, aux gendarmes, au maire et à moi, seulement trois heures plus tard.

Mais ils avaient dû se dire : Feu-de-Bois c'est Feu-de-Bois et il est soûl, on ne le changera pas, c'est comme d'habitude et rien de plus.

Alors, lorsqu'il est entré, c'est-à-dire, pas exactement au moment où il a franchi le seuil de la porte, mais lorsque tout le monde a compris, a vu, a commencé à voir, il y a eu un certain silence, un frémissement dans le silence et des rires aussi, quelques-uns ; et puis toujours ceux et celles qui n'ont pas vu et ont continué là où ils en étaient.

Solange n'était pas ici, elle était dans la cuisine. Feu-de-Bois a marché vers nous d'un pas décidé et titubant. Il avait dû se soûler complètement et il revenait comme un alcoolique croit venir s'expliquer lorsque, au contraire, il ne fait qu'obscurcir ses idées et celles des autres. J'ai vu la Chouette donner un coup de coude à Jean-Jacques, scandalisée sans doute que son beau-frère ose revenir, et Jean-Jacques hésitant, murmurant,

Mais qu'est-ce que tu veux que j'y fasse ?

Et puis Évelyne s'est levée. Elle a marché très vite, sans regarder personne, baissant la tête, laissant claquer ses talons aiguilles sur le plancher en tirant sur son pull-over d'une drôle de couleur jus de melon ou saumon pour occuper ses mains et se donner une contenance, le temps de longer l'estrade et d'aller vers la cuisine prévenir Solange.

Mais déjà il était arrivé vers nous.

Il s'est planté au milieu de la salle – non, pas au milieu de la salle mais près de l'estrade, au centre de l'ensemble des trois immenses tablées qui formaient un U –, et il est resté comme ça quelques minutes, luttant pour tenir droit, les jambes arquées, ou plutôt écartées, le regard fixe et transparent, lointain, méprisant, et déjà l'air de nous provoquer, d'attendre de nous des réponses à des questions qui seraient restées en suspens depuis des siècles.

Et, bien sûr, les regards étaient fixés sur lui. Bien sûr on commençait à entendre des murmures. Chacun restait à le regarder en buvant son verre de vin, se resservant ou le vidant au contraire d'une traite. On a entendu des éclats de rire.

Des voix basses, des chuchotis.

Là pour se faire remarquer.

Va pas tomber.

Vous occupez pas de lui. Vous occupez pas.

Et on se passait du sel ou du poivre ou de l'eau ou du vin. On s'essuyait les mains avec les serviettes en papier. D'autres mastiquaient des morceaux de pain et puis jetaient un coup d'œil vers lui. Ne pas s'occuper de lui. Ce qu'il veut, Feu-de-Bois, se faire remarquer. Ne pas le regarder. Nicole m'a demandé,

Mais qu'est-ce qu'elle fait, Solange ?

Et la Chouette trépignant sur sa chaise. Et les voix des vieilles, en bout de table. Ou d'un frère qui ne parlait pas, presque jamais, venu de ses champs où il passait son temps à cultiver les betteraves et les maïs et qui tout à coup a gueulé,

Feu-de-Bois, ça suffit, viens t'asseoir !

Et lui alors oscillant à peine, seulement frémissant, tanguant, du bout des pieds, comme une danse, un tout petit mouvement de la plante des pieds de l'avant vers l'arrière, et toujours aussi dans le regard, ce mépris. Il a regardé son frère, celui-là qui avait parlé, et n'a pas répondu. Comme si la voix n'était venue jusqu'à lui que filtrée par quelque chose d'autre que l'ouïe ou l'intelligence ; et un doute alors, la poitrine, la nuque, la tête se dressant, oui, a-t-il dit, au départ si faiblement qu'on n'aurait pas compris les mots balbutiés, à peine prononcés, si on ne les avait déjà entendus dire, marmonnés, répétés comme répètent les mêmes mots, les mêmes obsessions, les ivrognes.

Ça a commencé par des mots écorchés, ou plutôt rabotés, escamotés, un flot sans aspérité, sans consonnes ni voyelles pour former des sons identifiables, mais on savait, je savais, pour l'avoir entendu autrefois, depuis toujours – non, pas toujours –, sa litanie bafouillée entre les lèvres,

Ah, on me parle, dis donc, on me parle, oui, sans doute il y a du monde là, ils sont tous là, dis donc, ah, non, pas les morts, les morts sont pas venus, ils sont pas venus les morts, déjà ça de moins, ça fait ça de moins, les morts, tant mieux, déjà ça, Reine et les petits morts sont pas venus, dommage, les petits morts c'étaient les seuls qui valaient le coup, hein, et ma sœur, où elle est Solange, ma sœur, elle est où.

Sa voix soudain se taisant et s'écrasant dans un regard de mépris sur moi.

Alors, le bachelier. Avec sa bachelière.

Un rire. Ou plutôt une sorte de rire, un hoquet, un gloussement vite étouffé.

Puis le silence.

Puis sa voix très forte qui est revenue de l'intérieur de lui pour faire peur, peut-être, mais surtout et d'abord pour Solange qui tardait à revenir, qu'est-ce que pouvait faire Solange dans cette cuisine,

C'est sa fête à elle et c'est elle qui est dans la cuisine, vous n'avez pas honte de la laisser tout faire dans sa cuisine, tas de fainéants, hein, le bachelier, qu'est-ce que t'en penses ?

Alors il a parlé de plus en plus fort, sa voix tremblante mais pas hésitante, pas du tout, pas un seul instant hésitante quand il s'est accroché aux syllabes du prénom de sa sœur, y puisant, y trouvant la force de s'agripper et de remonter comme avec les mains, à pleines mains, de sa voix brisée et pourtant forte,

Solange, où elle est Solange ?

41

Celle-ci n'arrivant pas encore, tardant à venir, c'est vrai, et quand elle est venue, qu'elle est revenue vers nous, accompagnée de Pingeot et Chefraoui, qui avec du vin, qui avec un plat en Inox de viandes rôties, Bernard a marché vers l'entrée de la cuisine. Lentement, avec certitude. Chefraoui avec son plat en Inox. Les plats qu'ils avaient empruntés, Solange et lui, à la cantine du collège où pendant des années ils avaient été collègues, à servir les repas aux enfants.

Et puis.

Parce que Chefraoui tout à coup était là, devant lui, dans son champ de vision. Comme une image impossible venue brouiller le réel. Chefraoui souriait ou ne souriait pas, peu importe. On ne peut pas savoir. On sait déjà. On sait depuis tout le temps. Depuis, je veux dire, depuis – c'est autre chose, ce temps-là. Une chose comme ça, que je pense, qui vient se glisser et brouiller ce moment de notre histoire où tout à coup elle est là, comme un compte à régler vieux de quarante ans, un âge d'homme pour nous regarder et nous dire non, ce n'est pas fini, on croyait que c'était fini mais ce n'était pas fini.

Puis la voix de Feu-de-Bois qui a dit très fort, interpellant Solange,

Et lui, lui, il peut être là. Il a le droit d'être là, le. Il a le droit et moi, alors que moi.

Solange a laissé retomber sur la table les choses qu'elle tenait, on a entendu le choc de l'Inox sur la planche épaisse qui a vibré sur les tréteaux.

Bernard, arrête.

Et lui il peut être là. Lui, le.
Arrête.
Le bougnoule –

Et Solange ne le laissant pas finir a bondi vers lui
et elle a hurlé son prénom, Bernard, Bernard tu vas
pas continuer tu sors maintenant tu sors et elle avait
les larmes aux yeux et la voix brisée, qui s'est brisée
pendant que Chefraoui était resté sans rien dire, interdit, et elle qui s'était tournée vers lui, honteuse, bou-
leversée,

Saïd, faut pas faire attention, c'est rien.

Chefraoui n'a pas répondu. Il s'est contenté de
poser le plat au milieu de la table, de tendre les couverts vers le convive le plus proche pour que ce dernier puisse se servir, et c'est à peu près tout.

Son visage n'a pas tiqué, pas bougé. On n'y a
reconnu aucune expression.

Et pendant une seconde, à peine, on a pu croire
qu'on en resterait là, que Feu-de-Bois ferait marche
arrière.

Mais son corps a basculé en avant et ses bras écartés
sont venus loin au-devant, tendus, les mains pas
encore fermées en poings mais au contraire ouvertes
comme des animaux affamés sur lesquels il n'aurait
pas eu le moindre contrôle, s'effarant lui-même de les
voir libres, puissantes, agir comme ça, s'étirant jusqu'à approcher de Chefraoui qui pourtant a reculé,
surpris, on a vu l'agacement, la colère, il a reculé
encore, pas légèrement, cette fois franchement d'un
bon mètre, presque avec dégoût, ne pas être touché

par les mains de Bernard, répugnant, l'odeur de cendre jusque sous les ongles noirs, Feu-de-Bois – pas possible de puer le feu de bois comme ça – et cette saleté, ces ongles, ces bouts de peau rose vif, à vif, et cette puanteur plus redoutable, presque, pour l'instant, que le geste des mains avançant. Mais aussi les regards. Mais aussi le corps basculant en avant.

Mais aussi les mots.

Bougnoule. Des années que toi j'ai envie de te dire. Je vais te dire. Et puis l'envie de te casser la gueule. Bougnoule.

Arrête.

Arrête.

Maintenant, il n'écoutait plus rien. Solange soudain s'interposant entre les deux hommes et repoussant Feu-de-Bois sans même réfléchir,

Allez, ça suffit, maintenant tu t'en vas, Bernard, tu t'en vas, Rabut, aide-moi.

Et derrière des voix, d'autres voix, des femmes, des hommes, les frères et les cousins, que des voix dont on connaissait par cœur les timbres et les intonations et les accents venus voler au-dessus des tablées pour arrêter, dédramatiser, calmer,

Eh, Feu-de-bois, arrête tes conneries y a pas de bougnoules qui tiennent,

Chez nous, t'as compris, Feu-de-Bois,

Feu-de-Bois,

Tu leur as pas toujours craché dessus, aux bougnoules.

44

Lui, semblant soudain se réveiller, se détourner de sa cible, le temps de chercher qui avait parlé.

Qui a dit ça ?

Quand il a tourné la tête,

Qui a dit ça ?

Les pieds-noirs, les pieds-noirs c'est pas des Arabes.

Ça a duré une seconde. Et pendant une seconde il y a eu ce drôle de silence, comme la pudeur au moment de découvrir un corps nu : le tremblement de la voix de Feu-de-Bois et l'image de celle qu'il avait aimée dans le temps lointain où Feu-de-Bois n'avait pas encore effacé Bernard.

Ça a duré le temps d'une seconde, à peine.

Et lui alors hésitant une autre seconde, reprenant souffle, regardant autour, cherchant un appui et vacillant comme un alcoolique le fait lorsqu'il réfléchit et titube davantage dans sa tête que dans son corps, un temps de flottement, de retour comme ça, sur soi, peut-être. Et puis soudain devant lui Solange qui était là avec dans la main la petite boîte bleu nuit.

Prends ça et fous le camp.

Non.

Prends ça, prends-la, Bernard, je veux plus te voir.

Et lui, un instant, il a cru qu'elle plaisantait. Un instant il a osé croire qu'on n'irait pas jusqu'à lui ordonner de partir. Et pourtant elle a exigé qu'il parte. Chefraoui n'a pas bougé. Il est resté un peu en retrait. Et moi j'ai marché vers eux, quelques pas.

Nicole aussi. Et d'autres aussi. Jean-Jacques et la Chouette. Évelyne pleurant déjà.

Alors Feu-de-Bois a regardé la boîte bleu nuit que Solange avait agitée dans sa main, devant lui, pour qu'il la prenne, la reprenne, s'en saisisse une bonne fois pour toutes et la fasse disparaître et qu'on l'oublie, n'en parle plus, plus jamais.

Et l'argent. Tu vas dire d'où il vient, l'argent ?

La Chouette avait presque crié, oui, à ce moment-là, alors qu'on n'attendait plus rien maintenant que le départ de Feu-de-Bois. Parce qu'on sentait qu'il avait lâché prise, qu'il perdait pied, qu'enfin en lui les digues allaient lâcher et le laisser vidé de son agressivité et de tout besoin de frapper. Mais il y a eu la voix de la Chouette. Et ceux qui n'avaient encore rien dit, plus outrés par l'histoire de l'argent, de la broche, que du scandale des insultes, se sont mis de la partie, levant la voix, exigeant des réponses,

Feu-de-Bois, à qui t'as piqué ça ? à qui ? d'où ça vient ? réponds, tu dois le dire, tu dois,

Et lui qui n'a pas répondu.

C'est à qui l'argent ?

Il regardait sa sœur,

Réponds.

Il regardait la boîte bleu nuit,

Dis-le maintenant.

Il regardait avec ses yeux vides et transparents à travers lesquels il n'a jamais vu autre chose que le désert de sa solitude. Et il est resté un moment sans rien dire, figé, puis soudain il a regardé les uns et les autres en

46

relevant la tête, en faisant comme s'il répondait à chacun par un signe de tête, le menton bien haut, et pour réplique rien d'autre que le mépris ; et alors la précipitation lorsqu'il a tendu le bras et qu'il a pris ce qui lui tombait sous la main, un verre de vin, un verre presque plein qu'il a saisi et jeté devant lui, le contenu seulement parce que d'abord il a retenu le verre dans sa main, avant de le jeter assez loin pour atteindre l'autre bout, et le verre s'est brisé, bien sûr – mais plus que les éclats du verre ça a été les éclats de voix, comment tous se sont relevés et comment on a vu le vin et ses taches éclatées sur Chefraoui mais aussi sur Solange, sur son pull-over chiné blanc et jaune paille.

Alors c'est allé très vite. Les hommes se précipitant sur lui.

Et puis aussi Solange un moment interdite, seule au milieu de tous ses invités, noyée parmi eux et brinquebalée encore quelques minutes, le temps de nous voir, moi (moi, un peu en retrait, mon corps refusant net d'avancer, impossible de porter la main sur Feu-de-Bois, impossible pour moi), et les autres, quelques autres, cousins, amis, le visage blême et les larmes aux yeux de Solange, son air affligé, sa mine défaite et son pull taché, lamentable, qu'elle devra aller changer aussi bien pour se retrouver seule et peut-être pleurer que pour réagir, se donner bonne figure, revenir et recommencer, malgré tout, malgré ce mauvais moment de les voir tous agglutinés autour de Feu-de-Bois et l'obligeant à sortir, de force, pendant qu'il résiste – mais sans crier, sans un mot, donnant des coups, s'affalant pendant qu'on le tire par les bras, la veste, et lui, sa force d'inertie, ses coups aussi, quelques coups qui tombent mais personne n'ose le frapper, il est trop fort, trop têtu, on sait qu'il se souviendrait, qu'il saurait reconnaître l'auteur de chaque coup et on a peur de lui, en le sortant, en le jetant, en refermant la porte derrière lui pour le laisser sur le palier, seul, avec cette gueule mauvaise et cette masse épaisse, ce cou de taureau, son repli et son mépris encore, jusqu'au bout, jusqu'au moment où sur le palier il s'est redressé et nous a regardés, sans bouger, sans un mot.

Puis il est parti.

Alors après il y a eu ce temps incertain, Solange absente une bonne demi-heure. Et puis cette partie du repas sans elle. Enfin, son retour et le départ de Chefraoui et de Pingeot.

Et puis, en fin d'après-midi, c'est-à-dire déjà en début de soirée, ils sont arrivés.

La nuit était tombée, mais la neige aussi s'était remise à tomber et même plus drue encore que durant les dernières vingt-quatre heures. Le maire et les gendarmes. C'est moi qu'ils sont venus voir. Moi, parce que je fais partie du conseil municipal d'abord, mais aussi parce que je suis membre des anciens d'Afrique du Nord et que je connais tout le monde ici, Chefraoui et sa femme, et puis, surtout, parce que je suis le cousin de Feu-de-Bois.

Mais quoi. Imaginer comme ils m'ont demandé de le faire, eux, si gênés de déranger un repas de famille,

48

que je puisse les écouter sans broncher et croire que ce soit allé si loin, de manière si –

Enfin, non, ce n'est pas comme ça qu'il faut raconter.

Pas comme ça que les choses me sont tombées dessus ni qu'il a fallu les affronter, à ce moment où le maire a proposé qu'on aille s'asseoir dans la cuisine pour discuter.

Mais dire quoi.

Dire, oui, je le vois très bien, Feu-de-Bois, sur sa Mobylette, à la fois furieux et soûl et peut-être aussi réveillé, agressé, piqué par le froid et la neige qui lui giflait le visage, remontant chez lui et ralentissant lorsque, au loin, de l'autre côté des champs et remontant le coteau de la Migne, il a vu les trois ou quatre maisons neuves et parmi elles celle de Chefraoui.

Dire oui, monsieur le maire, ça doit être ça.

Je vois bien le paysage, tout blanc, enfin, blanc d'un blanc grisâtre et fade comme du pain rassis, sans forme, avec des pavillons noyés dans le ciel épais et mou, et dessous, les champs, les bois durs comme du marbre et cassants, un long triangle de terre battue et recouverte de blanc remontant vers la Migne, et en contrebas la maison de la Vieille, des fumées de cheminées touillant un gris de fioul dans le gris poussière des nuages, et puis lui dans le froid, tout rouge, presque violacé et les épaules blanchies, le casque, la Mobylette, tout, et le regard un moment figé de l'autre côté. C'est ça ce qu'il faut voir. Qu'on me demandait de voir. Feu-de-Bois hésitant. Et que je me dise : il s'est arrêté sur sa Mobylette et, sans doute, lui, une fraction de seconde,

49

une poignée de secondes jetées en l'air, il a éprouvé un vague désir de vengeance ; c'est ça, l'idée qu'avaient voulu que j'entende le maire et les gendarmes.

J'ai dit : attendez, attendez. Je veux comprendre. Racontez par le début. C'est ça votre idée ? Qu'il serait revenu en arrière et serait allé chez Chefraoui ?

Une idée comme ça, de lui ? Non.

Ce qui est arrivé.

Non.

Ce que je vous dis.

Il est cinglé mais pas au point.

Et ils m'ont raconté comment il avait fait demi-tour sur sa Mobylette et était redescendu vers la patte-d'oie, de chez Rondot on l'a vu, vous le connaissez, ils ont dit, Rondot, il passe sa vie à la fenêtre, il l'a vu au milieu de la route, là-haut, remontant vers chez lui alors que la neige tombait drue, et s'arrêter en pleine voie, tout seul, comme ça, sans raison, puis faisant demi-tour et redescendant et passant là, devant chez Rondot justement, non pas pour retourner vers le bourg mais pour prendre l'autre route, vers les maisons neuves. Rondot l'a vu passer, hésiter encore au moment de tourner, et regarder si quelqu'un venait. Tout correspond. Et cette histoire, cet après-midi, Rabut,

Quelle histoire ?

Une histoire de bijou ou je sais pas.

Qui vous a dit ça ?

Chefraoui. Allez, Rabut, vous allez pas.

Non, pas de risque, mais pour autant attendez.

Attendre quoi ?

Ce qui est arrivé, a dit Ménard, le chef des gendarmes, c'est comment Chefraoui s'est présenté à la gendarmerie en fin d'après-midi.

Il a raconté que lui, Ménard, en arrivant à la gendarmerie, il avait trouvé Chefraoui, les mains sur les genoux, assis sur l'une des chaises devant le comptoir de l'accueil. Jamain tapait un rapport quelconque, comme s'il avait l'habitude de voir débouler dans la gendarmerie d'une ville de quatre mille habitants un homme bouleversé, stupéfait aussi, et comme transi de ne pas croire vraiment ce qu'il avait vu et qu'il venait raconter.

Alors, de le voir assis si calmement, ou, plutôt, il faudrait dire si docilement, avec ce fatalisme qui lui faisait répéter en boucle que sans la promesse faite à sa fille de rentrer tôt pour partager un gâteau d'anniversaire, alors Dieu sait ce qui se serait passé, avait-il répété, et avec l'autre qui tapait sur sa machine n'importe quel procès-verbal qui aurait bien pu, qui aurait dû attendre, ça avait été, à ce moment-là, insupportable pour Ménard ; et ça avait suffi à le mettre en colère contre Jamain, mais peut-être un peu aussi contre Chefraoui. Et à peine Ménard avait eu le temps de demander à Jamain s'il avait pris les coordonnées de Chefraoui, s'il lui avait proposé peut-être un verre d'eau, un café, quelque chose, s'il avait prévenu et fait le nécessaire, ce qu'il est convenu de faire (et au passage, Ménard s'agaçant du temps que son subalterne avait sans doute pris avant de le « déranger », comme il avait dit, « excusez-moi de vous déranger pendant votre pause, chef, mais il y a un dénommé, etc. »), déjà Chefraoui s'était levé et avait marché vers Ménard, s'excusant de le déranger un samedi. Oui, s'excusant de ça, lui, à ce moment-là.

Le calme de Chefraoui.

La voix de Chefraoui pour me dire de venir. Que je vienne tout de suite. Que je vienne, a dit Ménard, parce qu'il fallait arrêter le fou.

Et il a fallu comprendre des mots seulement prononcés pour conjurer la peur et certainement pas pour que Ménard, avec ses petites moustaches et ses joues un peu creuses, sa coupe en brosse, tout chef de gendarmerie qu'il était avec ses grades, ses devises, sa république et ses cellules qui n'ont jamais servi qu'à dégriser quelques andouilles trop ivres pour rouler jusqu'à chez eux, ou des adolescents surpris à ouvrir des portails de villas d'été interdites aux visiteurs, certainement pas pour que lui puisse y répondre et changer quelque chose à ça, cette peur que Chefraoui savait présente sur lui comme un visage à la place du visage.

Attendez, je comprends pas.

Quoi, Rabut, qu'est-ce que vous ne comprenez pas ?

Vous me dites que Feu-de-Bois.

Chefraoui a raconté l'incident de cet après-midi. Comment votre cousin a bu, l'esclandre qu'il a fait. On veut savoir si vous confirmez.

Attendez, si je confirme. Si je. Que je. Vous voulez que je. Moi, que je dise. Et que je confirme oui, ici, ce qui s'est passé ici. On ne va pas parler de ça, pas ici, c'est pas possible, on ne va pas.

Non.

J'ai proposé d'aller continuer la conversation chez Patou. Là, on s'est assis et on a repris. On a commandé des cafés, Patou et Jean-Marc n'ont pas osé nous demander pourquoi on se retrouvait là, deux gendarmes et le maire, et moi, à cette heure-ci, l'air inquiet, des mines probablement à faire peur.

Ce n'est qu'après, lorsqu'il aura été convenu entre nous de ce que nous devrions faire, qu'on a demandé à Patou de nous rejoindre. Mais pour l'instant, on parlait doucement, presque à voix basse. On parlait, j'écoutais Ménard racontant comment ils avaient pris la voiture de la gendarmerie pour se rendre sur les lieux. Et on pouvait deviner à sa voix comment l'agacement y traînait encore, la colère contenue contre Chefraoui parce que celui-ci, curieusement, ne s'était pas montré si coopératif, non, à force d'être discret, de se tenir silencieux comme un poids mort, ne rien dire à part rabâcher cette histoire de chance, cette chance, l'anniversaire de sa fille sans quoi il ne serait jamais rentré si tôt.

Et moi, a dit Ménard, dans la voiture je me suis emporté contre lui pour qu'il parle, qu'il raconte, et lui, ça n'a été qu'un murmure, comme s'il avait peur de ce qu'il disait.

J'ai couru, j'ai essayé de le retenir.

Il y avait du sang, j'ai vu du sang.

Et il a bien fallu que Ménard raconte comment, en entrant dans la maison, l'odeur de Feu-de-Bois l'avait assailli dès la porte d'entrée. On la sentait encore. Elle était là, cette puanteur, à tel point que ne trouvant rien à dire lorsqu'il était ressorti, il avait dû demander à Chefraoui comment il se chauffait. Et l'autre avait mis un certain temps avant de parler et de lâcher, comme seule réponse,

C'est son odeur à lui.

Et Ménard a parlé. La voix de Ménard racontant non pas ce que lui avait vu, mais ce que Chefraoui avait trouvé en arrivant chez lui, lorsqu'il était revenu de la salle des fêtes. Il a raconté comment Chefraoui était entré dans sa cour en faisant attention parce que le passage de la grille n'est pas si large, surtout par temps de neige. Puis que derrière les rangées de thuyas, derrière la grille blanche diluée dans le blanc de la neige, il avait vu la cour, cette cour blanche elle aussi et au fond, couchée presque au-dessous de l'escalier, la Mobylette de Feu-de-Bois.

Chefraoui avait hésité un moment, non pas à sortir de sa voiture – ça, au contraire, ça avait été rapide sans doute, parce qu'il ne devait pas s'attendre à trouver la Mobylette ici. Là où il avait hésité ça avait été sur la démarche à suivre, ce qu'il fallait faire, monter chez lui en courant, se précipiter et prendre Feu-de-Bois de vitesse, au dépourvu, se jeter sur lui, comme ça, de force, jeter toutes ses forces, ses bras et son dos tendus, se pencher sur l'ivrogne et sans discuter l'agripper par le col et le tirer vers la porte puis le jeter, quitte à ce qu'il tombe dans l'escalier, se fracasse, se brise la tête et les os, qu'il s'échoue jusqu'en bas, dans la cour, là où la neige finirait de le réveiller et de le dessoûler ou de le tuer complètement et ne pas se dire qu'il pourrait résister, il est fort, Feu-de-Bois, même soûl il pourrait résister, mais si on le prend par surprise peut-être bien que non ou alors, au contraire, se faire prudent, méfiant.

Mais ne pas imaginer pire que ça, c'est ce qu'avait dû penser Chefraoui pour se rassurer, se dire, c'est quelque chose de désagréable et rien de plus ; il ne fallait pas, il ne faut pas que ce soit plus.

Et la Mobylette que Bernard n'avait pas pris soin de maintenir debout sur sa béquille et qui était tombée, que lui venait de trouver couchée sur l'une des sacoches, les roues ne tournant pas dans le vide mais immobiles, bien arrêtées, nettes, et la neige qui les avait déjà recouvertes d'une mince pellicule grumeleuse de confettis trop blancs et mal taillés, ce n'était rien qu'un signe de précipitation et de maladresse dues à l'alcool, rien de plus, pas davantage, et non cet aveuglement, cet acharnement, la détermination d'un homme qui sait ce qu'il veut faire et va le faire vite, sans retenue.

Alors Chefraoui est monté chez lui, non pas comme il faisait d'habitude en passant par le sous-sol, mais par-devant, prenant l'escalier, c'est-à-dire comme l'autre avait dû faire, probablement, il a fait pareil et alors au moment d'emprunter les marches que Feu-de-Bois avait prises avant lui, Chefraoui a senti la peur le gagner, d'un cran à chaque marche, le sang dans sa tête et même l'étrange chaleur de la peur se heurtant au froid du dehors, jusqu'au moment de mettre la main sur la poignée.

Le cœur qui bat, cogne, frappe, puis le silence. Il a raconté. Ce silence. Le moment d'ouvrir. La stupéfaction de trouver la porte fermée à clé. De devoir chercher la clé dans sa poche et d'ouvrir. Le temps de trembler et de se regarder accomplir ce geste de mettre la clé dans la serrure et de la tourner, puis de la remettre dans sa poche (lui qui ne l'utilisait presque jamais). Il aurait pu appeler sa femme, les enfants, ou même seulement le chien. Il s'étonne en regardant les clés d'être incapable d'appeler. Il est entré lentement, très lentement chez lui, malgré l'odeur si agressive, si âcre, de bois brûlé, tout de suite de charbon, à plein nez, confondue aux relents d'alcool.

Il est resté un instant saisi, sans bouger. Très fixe, très droit. Il a retenu une seconde sa respiration, puis il a marché.

D'abord, le couloir. Et le silence. Le tic-tac de la pendule dans la cuisine, et la cuisine, là, tout de suite à droite, où il n'est pas entré mais où il a regardé d'un coup d'œil pour y remarquer le ménage fait, la vaisselle qui avait été essuyée et rangée, la desserte vide, sèche, la toile cirée sur la table et les petites assiettes et cette boîte dans laquelle on rangeait les bougies d'anniversaire, et le courrier sur le frigo, les reflets d'arc-en-ciel de l'alcool et les marques circulaires du chiffon sur les meubles de cuisine.

Et le silence, toujours.

Le silence encore en passant devant la porte de l'escalier qui conduisait au sous-sol. Il a continué. Il a tourné sur sa gauche, sans accélérer, sans écouter en lui la voix qui lui disait de courir et de crier les noms de ses enfants et de sa femme, cette voix aussi, plus timide, ne cédant pas à la panique, mais aussi peut-être plus surprise de ce que le chien n'était pas venu vers lui et n'avait pas aboyé. Il marchait lentement et son pas résonnait en lui comme les idées qui passaient devant ses yeux, instables comme la neige, au-dehors.

Les portes des toilettes et de la salle de bains, sur la gauche, fermées. Celle de sa chambre, en face, aussi, comme celle de sa fille.

Seule était ouverte la chambre des garçons.

Et c'est là qu'il les a trouvés tous les trois. La fille assise sur le rebord du lit avec le plus jeune, blotti dans ses bras ; l'aîné, lui, se tenait debout, de dos, et regardait par la fenêtre. Il a couru vers eux et ils se sont jetés dans ses bras, tous les trois – non, pas tous les trois, pas l'aîné, lui a juste esquissé le geste de se retourner puis aussitôt est revenu planter les yeux loin dans le jardin, sur un point fixe qu'il ne quittait pas, qu'il n'a pas pu quitter pendant que les deux autres couraient vers leur père.

La fille – elle a eu treize ans hier –, têtue, bornée, incapable de lâcher son petit frère, de ne pas lui caresser les cheveux et comme pour se rassurer elle-même lui murmurer que tout va bien, tout va bien il va partir, il va s'en aller et maman,

Maman,

Chefraoui relâchant son étreinte et n'écoutant pas la voix du petit lorsqu'il a murmuré qu'il avait peur, et les caresses lourdes et pressantes de sa sœur, son balancement comme une prière,

Ça va, ça va aller, tout va bien, il va partir, il va s'en aller et maman,

Maman,

Chefraoui s'approchant de la fenêtre et soudain, au moment où il approchait et juste avant qu'il ait pu voir, ou même seulement apercevoir ce que son fils regardait fixement, il a entendu dans la cour la Mobylette – on entendait l'effort, les coups de pédalier pour la faire démarrer, mais avec ce froid elle ne démarrait pas.

Et Chefraoui n'a pas réfléchi, pas hésité non plus et alors il a couru vers la porte et sans hésiter s'est jeté dehors sans même penser au froid, à la blancheur de la neige et à la réverbération aveuglante, un moment, un instant très court, quand il y avait juste au-dessous de l'escalier, penché sur la Mobylette qu'il avait redressée et reposée sur la fourche où elle tenait en équilibre, la roue arrière soulevée, roulant dans le vide, lui, Feu-de-Bois, penché en avant et pédalant presque debout pour que l'essence et le moteur, pour qu'on entende le moteur, les quelques coups de pétard et la fumée derrière le pot d'échappement, et puis, quand Feu-de-Bois a relevé la tête et qu'il a vu au-dessus de lui, sur le perron de la maison, Chefraoui, furieux cette fois, qui le regardait, la Mobylette a démarré, elle quitte son trépied et dérape sur la neige, le frein que Feu-de-Bois n'avait pas serré, la roue tournant trop vite, trop fort, la Mobylette touchant terre alors que la roue n'est pas bloquée, elle envoie rouler la Mobylette à une allure trop vive, zigzags, et Feu-de-Bois essayant, les bras tendus, le buste en arrière, de reprendre le contrôle, mais Chefraoui déjà presque à son niveau touche son bras et le sang poisseux colle sur sa main et Feu-de-Bois d'un coup pose le pied par terre et pousse du talon pour entraîner le moteur qui a des ratés, ralentit, hésite, embourbé dans la neige, les trous, des cailloux volent, quelques-uns claquant comme du plomb sur la tôle de la voiture, la fumée blanche derrière le pot d'échappement et la main de Chefraoui fermée sur le bras de Feu-de-Bois et les cris, quelques cris noyés sous les cris du moteur, et l'élan pourtant est plus fort et plus fort maintenant Feu-de-Bois penché presque à angle droit pour gagner en vitesse, Chefraoui doit courir, tendre les bras et essayer de donner des coups de pied sur les sacoches pour déstabiliser la Mobylette, la faire vaciller et trembler, quitter sa trajectoire, en vain.

Et c'est seulement après qu'il aura compris comment Feu-de-Bois était d'abord entré dans la maison par le haut, sans frapper, se retrouvant seul un moment avec son odeur infecte envahissant tout l'espace autour de lui. Comme si tout l'espace, il l'avait touché et s'en était emparé.

La femme de Chefraoui avait surgi. Ou, non. Même pas. Elle avait seulement compris que quelqu'un venait d'entrer chez elle sans prévenir, sans frapper, quelqu'un dont elle avait entendu la Mobylette et les pas sur les marches, celui-là qu'avaient accompagné, bien avant la puanteur, le froid et le souffle. Elle avait pensé tout de suite à son mari, puis s'était dit que non, ce n'était pas son mari.

Ce sont des choses qu'on sait d'instinct, qu'on devine, la présence d'un inconnu.

Elle avait dit aux enfants de rester dans la chambre, de ne pas bouger. Et ils n'avaient pas bougé. Même lorsqu'ils avaient entendu la voix de leur mère demander à l'inconnu ce qu'il faisait là, et qu'ils l'avaient entendu répondre, lui, mais pas tout de suite, tout de suite il n'avait pas répondu, il était resté sans rien dire, sans parler, la laissant, elle, s'étonner encore.

Et de la chambre, les enfants, ce qu'ils avaient dû penser, c'est que l'homme ne venait pas pour parler, il venait pour une chose dont ils ne savaient rien mais dont très vite ils ont eu peur, surtout lui, le petit, parce que sa sœur et son frère l'ont retenu lorsqu'il a voulu rejoindre sa mère, lui disant,

Non, ne bouge pas,

La sœur jugeant bon de coller très fort sa main contre ses lèvres. L'homme a parlé et au départ ils n'ont pas compris ce que disait la voix. Une voix sans prononciation, sans syllabes ; une voix dans une langue hachée et qui parfois montait, s'emportait, criait puis tout à coup s'effondrait et semblait s'éteindre ou s'affaisser dans un ricanement interminable, glauque, rampant.

Et ça a duré très longtemps. Ils ont pensé que ça durait un temps infini, parce que parfois il y avait ces silences, comme des temps morts, des angles morts, juste du silence, c'est-à-dire rien, un trou, comme si c'était fini et que ça n'avait jamais commencé.

Puis la voix reprenait. Ou celle de la mère. Ou alors ni la voix de l'un ni celle de l'autre, mais un souffle ou un mouvement, un déplacement qu'eux reconnaissaient tout de suite comme n'étant pas celui de leur mère mais quelque chose d'épais, brutal. Un temps si long, infini. Ils n'ont rien dit et c'est à peine si la sœur et le frère aîné se regardaient ou cherchaient dans l'autre les réponses et les confirmations à ses idées dont la trace s'effaçait aussitôt par un éclat de voix venant la briser nette ; et l'on tendait l'oreille, et l'on se demandait qui était derrière la voix, qui était l'inconnu, que voulait l'inconnu, quand la voix de la mère soudain a semblé prendre de l'ampleur et venir jusqu'à eux, dans la chambre, pour les réchauffer un peu et les rassurer. Parce qu'ils ont entendu la porte s'ouvrir.

Allez, vous sortez maintenant.

Ils ont imaginé alors leur mère penchée sur l'inconnu et le saisissant même pour le pousser dehors, puisque la porte était ouverte, ils l'avaient entendu, on avait ouvert la porte et même le froid s'était engouffré jusqu'à la chambre, mordillant les pieds dans les chaussons et sur les visages, la main sur la bouche du petit frère. Et puis enfin la porte qui se ferme. Un tour de clé. Et la main qui relâche son étreinte. Les doigts qui se détendent ; la marque des doigts sur la peau rougie du petit frère. Et puis soudain leur mère devant eux, à la fois furieuse et défaite, satisfaite d'avoir fait partir l'intrus et encore surprise, non pas effrayée mais en colère.

Qui c'était ?

Sa réponse ne venant pas. Son regard égaré sur ses enfants. Sur la tête de ce petit dernier venu se réfugier contre elle. Et la voix de sa fille,

Qui c'était ?

Celle de son fils aîné,

Qui c'était ?

Et elle qui n'a pas répondu tout de suite et a ouvert les yeux très grands, le visage soudain aux aguets et inquiet comme eux.

Taisez-vous.

Et le petit au contraire tendant ses bras, se collant contre elle, marmonnant, geignant, sa sœur lui disant tais-toi c'est fini c'est bon et elle, alors,

Chut, taisez-vous.

Le frère aîné regardant sa mère, puis se retournant et jetant un œil par la fenêtre, d'où il a vu le chien, le chien qui s'est précipité vers le sous-sol.

Taisez-vous. Il est là.

Il est pas parti.

Et le chien alors a aboyé.

Sans relâche. Sans discontinuer. Et la femme de Chefraoui a exigé des enfants qu'ils restent là tous les trois et ne bougent pas.

Il est pas parti.

Elle est allée dans la cuisine et de là, de sa fenêtre, elle a vu la Mobylette par terre, et la neige qui dansait dans le gris du ciel. Le silence de la neige et cette lenteur quand au contraire le chien aboyait et gueulait de plus en plus fort, devenant presque menaçant.

Les bruits, la porte qui s'ouvre.

Et soudain des bruits de fer, de bois, d'objets qui s'entrechoquent et tombent. Le fer et le bois contre le ciment. Et le chien continuant, ruant, le chien soudain furieux. C'est ce qu'elle a pensé : que le chien était furieux et que peut-être il allait mordre. Elle n'a pas su penser à ce qu'il fallait faire. Elle imaginait l'homme, en bas. Et c'était comme si sa puanteur avait annihilé toute possibilité de penser, de réfléchir, d'agir. Ça a duré sans doute un long moment. Combien de temps dans la cuisine, sans bouger. À regarder la neige recouvrir la Mobylette. À entendre les aboiements du chien. Les objets qui tombaient, qu'on déplaçait.

Soudain le chien n'a plus aboyé, et ça a été les couinements affreux, suraigus et longs, si longs que lorsqu'ils se sont tus, qu'elle a compris qu'enfin elle n'entendait plus rien, plus aucun bruit, elle n'a pas vu venir sa propre colère, sa haine tout à coup et ce mouvement qu'elle a eu sans réfléchir, de sortir de la cuisine et de se précipiter vers la porte de l'escalier, allumer la lumière et accomplir les gestes habituels de refermer la porte derrière elle, de descendre non pas tout à fait face à la descente des marches mais de trois quarts, presque de côté, lentement, la main droite sur la rampe de fer et regardant ses pieds, et les marches, pendant qu'en bas elle ne savait pas encore que Feu-de-Bois venait de se faire mordre la main par le chien, parce qu'il avait voulu le faire taire, qu'il avait voulu le taper sur le museau et que le chien l'avait chiqué au passage. Et lui alors l'avait roué de coups, le chien cherchant non plus à mordre pour se défendre mais à fuir, à esquiver les coups que l'autre lui donnait ; et les coups bientôt les ont conduits à ressortir par la porte de derrière. Parce que Feu-de-Bois avait saisi un objet, une planche, un outil, quelque chose de lourd qu'il n'aura pas regardé au moment de frapper et de frapper jusqu'à ce qu'en lui la colère rebondisse et s'amuse de se voir tant excitée, régalée, récompensée, enfin, une si longue attente et l'animal bientôt inerte, couché, plutôt prostré dans la neige, dehors, juste avant le tas de bois.

Le chien n'était pas mort.

Et lorsqu'il l'a laissé dehors sans plus y prêter attention, Feu-de-Bois n'a pas vu, de là-haut, de la fenêtre d'une chambre, le regard de l'enfant et comment l'enfant avait reculé d'un pas au moment où Feu-de-Bois avait relevé la tête puis regardé sa main en sang, s'étonnant, immobile, la main ouverte, les doigts écartés et eux aussi immobiles avant de l'essuyer sur la manche gauche de sa veste en daim. Il n'a pas vu l'enfant mais l'enfant était revenu tout près de la fenêtre et, tout le temps avant que son père entre dans la chambre, il sera resté comme ça sans bouger, sans dire à son petit frère ou à sa sœur que dehors, en bas, près du tas de bois, leur vieil épagneul était allongé et respirait très fort, trop, presque un râle, une agonie, et aussi qu'il y avait du sang sur lui, sur sa gueule, sur le corps, il croyait voir ça, l'enfant, de la fenêtre d'où il était et d'où il avait vu l'homme avec sa main ensanglantée.

Mais celui-ci n'était pas resté là. Il était entré dans le sous-sol. Il était revenu en bas et l'enfant avait entendu comme l'homme, un bruit, une porte qui s'ouvre, sa mère ouvrant la porte du sous-sol.

Elle a ouvert la porte et elle l'a vu – non pas foncer ni fondre ni courir sur elle ni rien de tout ça, rapide, image grise, l'odeur, l'homme, massif, pourtant noir oui une ombre noire dans l'étroit couloir gris, avec la lumière grise aussi de la porte d'où il était arrivé. Et elle n'a pas eu le temps de parler que déjà elle a senti les doigts se refermer sur ses poignets ; et le mouvement de recul qu'elle a eu, ça n'a pas suffi, les ongles noirs, la peau froissée, le sang, poings fermés, elle serre les poings, les dents, le cri et les yeux se ferment, ce cri, il aurait fallu davantage et elle a reculé jusqu'à la première marche, monté quelques marches comme ça, à reculons, malgré l'homme qui serrait les doigts, très fort, il serre ses doigts et ses mains sur les poignets de la femme et elle balbutie, livide, des mots, des idées, dans ses yeux à elle il y a la terreur mais pas sur les lèvres, et le sang entre les doigts, qui coule, de la main droite de Feu-de-Bois, qui coule, ce sang sur sa peau à elle aussi, elle l'a vu, elle a failli crier, elle n'a pas crié, n'a pas hurlé, crié, rien, seulement retenu sa peur derrière ses yeux, sa tête, le sang-froid, le garder, tout garder, calme, sang-froid, maîtrise, réfléchir, tenir, retenir oui elle a retenu les cris dans sa gorge, c'est bien, c'est ça qu'il faut faire, qu'elle doit faire à cause des enfants peut-être, elle ne sait pas à ce moment-là pourquoi elle se retient de crier et d'essayer de se dégager, de retirer ses mains en secouant violemment les avant-bras, non, presque rien, elle pense à ses pieds qui doivent remonter en arrière, de quelques marches, elle pense, ne pas tomber, ne pas l'entraîner avec moi dans la chute, ne pas le laisser me tomber dessus de tout son poids et le laisser libre, sur moi, de me toucher, de me, oui pourquoi pas tout à coup les images insensées qui abondent et la portent et la soulèvent jusqu'à l'écœurement, elle pense aux enfants, à l'idée du viol, des images qu'elle isole, la langue de l'homme, l'odeur de l'homme, sa sueur à lui et sa sueur à elle, conjuguées, leurs peaux aussi conjuguées et leur peur aussi, à tous les deux et tous les deux alors ont des gestes rapides et secs, des à-coups pour porter les voix et les regards et sa voix à elle qui s'est tue.

Et elle, un moment, elle aura pensé qu'il hésitait, qu'il se ressaisissait peut-être et comprenait ce qu'il était en train de faire, ce qu'il allait commettre, et son visage bouleversé à elle, ses mains remontées vers sa poitrine et les traces de ses doigts à lui sur ses poignets, le sang aussi, sur son poignet gauche qui avait taché ses vêtements. Il a vu qu'il saignait beaucoup, et peut-être se sera-t-il rendu compte qu'il avait mal, que la morsure lui faisait mal quand à son tour elle a entendu, au-delà de son souffle trop fort, de leurs souffles à tous les deux, là, dans le bas de cet escalier gris ciment, trop sombre, un écho, comme le bruit étouffé d'une portière et des pas, bientôt, quelqu'un montant l'escalier de l'entrée et dont les pas résonnent à travers la maison, jusqu'à eux deux, en bas, dans l'escalier diamétralement opposé mais dont les ondes viennent leur dire maintenant c'est différent, quelque chose a changé, il y a quelqu'un, il y a quelqu'un qui vient.

Et alors ils se sont regardés, très vite. Elle, reprenant confiance mais encore si faible, soudain si faible. Et il a reculé en entendant les pas de celui-là, en haut, marchant là-haut, dans la maison.

Bientôt il serait là, devant lui.

Et soudain en regardant la femme de Chefraoui Feu-de-Bois a souri, oui, souri d'un étrange sourire, d'un sourire mort, impossible, pour fuir déjà parce qu'il avait compris que peut-être, un instant, il avait voulu poser ses mains sur l'immense poitrine de la femme devant lui.

Et quand il s'est enfui, elle n'a pas bougé ; elle n'a pas appelé.

Les larmes sont venues aussi mécaniquement que le souffle dans la poitrine.

C'était aussi éloigné d'elle que le tremblement de ses mains. C'était aussi loin d'elle que les marques sur ses poignets, que la façon pour elle d'ouvrir grand puis d'écarter les doigts et de les refermer en poing pour faire circuler le sang. Et c'est à peine alors si elle a entendu le bruit de la Mobylette qui démarre.

C'est là qu'elle a pensé aux enfants, qu'elle devrait se relever pour aller laver ses mains, rincer le sang de Feu-de-Bois et les larmes, bien à elle.

Mais elle n'a pas bougé tout de suite.

Elle s'est redressée en entendant courir dans la maison. Le temps d'entendre la porte s'ouvrir et des vibrations, oui, c'est ça, elle a reconnu, on courait dans l'escalier, là-bas, dehors : et c'est la peur qui l'a fait se relever, la peur, et rien d'autre.

Elle a marché dans le sous-sol, sans même penser à allumer. Elle a vu le désordre, l'établi, les outils, des planches et les bicyclettes renversés, jetés.

Elle a marché vers la porte du sous-sol et, lorsqu'elle est arrivée là, elle a vu que dans la cour il n'y avait plus personne. Rien. Seulement le portail ouvert et la voiture. L'odeur d'essence de la Moby-lette flottait dans l'air. Puis elle a entendu le souffle et les pas de son mari, et sa silhouette bientôt est apparue dans l'ouverture du portail.

Il est entré dans la cour. Il a regardé sa femme, ils n'ont pas parlé, puis ils sont montés retrouver leurs enfants.

SOIR

Et qu'est-ce que vous comptez faire ?

Cette question de Patou non pas posée mais flottante entre nous – nous, écrasés par la lumière du néon au-dessus du billard, lumière trop blanche, blanchissant jusqu'aux ombres.

Ménard a regardé le maire, puis sa montre. Puis c'est vers moi qu'il a tourné les yeux. Nous nous sommes regardés, mais je n'ai rien dit. Lui non plus. Il a regardé Patou.

Le maire s'est redressé et m'a regardé avec cet air désolé, contrit, et j'ai entendu,

On n'a pas le choix.

Comme si c'était moi qui avais posé la question et non Patou, et elle,

Quoi, pas le choix ?

Enfin il a tourné le visage vers elle. Mais il n'a pas répété, il n'a rien dit et puis s'est retourné vers moi comme pour m'inciter à parler.

Non, Patou, ils n'ont pas le choix.

Alors, elle a haussé les épaules comme si ce que je venais de dire je n'aurais pas le courage de le répéter, ou que simplement en m'entendant le dire il me serait venu à l'esprit, oui, bien sûr, on ne peut pas dire ça, ce que j'ai dit, c'est absurde, et comme pour anticiper ce qu'elle m'imaginait en train de penser, elle a voulu appuyer,

Comment ça, pas le choix ? Rabut, c'est votre cousin, il faut le défendre, il était soûl, peut-être qu'ils vont pas porter plainte, qu'ils vont pas, il est comme il est, Feu-de-Bois, il a fait une connerie –

Vous appelez ça une connerie ?

Oui, une connerie.

C'est plus qu'une connerie, a repris Ménard, largement plus grave qu'une connerie.

Et l'autre gendarme, lui qui ne parlait pas et buvait son verre par petites gorgées, on l'a vu alors relever les yeux et le double menton s'agiter comme le barbillon d'un coq au réveil,

Un choc, c'est un choc pour tout le monde.

Oui, comme vous dites, a continué le maire.

Rabut, ce serait mieux si vous veniez avec nous.

On a parlé de ce que maintenant il était trop tard pour aller jusque chez lui, à cause de la neige, le chemin trop encombré pour les voitures ; et aussi, on n'était pas sûr de vouloir réagir trop vite. Au contraire, on se disait, non, laissons la nuit et demain matin nous monterons là-haut. Ce serait vers huit ou neuf heures.

J'ai regardé l'heure, et j'aurais voulu à ce moment-là ne pas convenir de ce rendez-vous pour le lendemain matin, sur la place de l'église. Nous y serons et nous ne serons pas seuls, a prévenu Ménard, on ne sait pas ce qu'il peut faire, comment il va réagir. Le maire n'a

72

pas bronché, comme s'il n'était pas concerné. Il s'est levé, les gendarmes aussi. Moi je suis resté assis encore quelques secondes, le temps de penser à cette phrase soudain agressive, que je n'ai pas dite – elle a roulé dans ma bouche et je n'ai pas compris pourquoi cette phrase-là m'est venue lorsqu'ils se sont levés tous les trois, cette phrase, ces mots que j'ai ravalés alors que dans mon esprit ils ont frappé :

Monsieur le maire, vous vous souvenez de la première fois où vous avez vu un Arabe ?

Mais, de ça, je n'ai rien dit. À peine je me suis vu regarder le maire et vérifier ce que je savais déjà, son âge, oui, il avait quel âge, lui, dans ces années-là ? Est-ce qu'il y est allé, est-ce qu'il a vu, est-ce que c'était la première fois qu'il sortait de chez lui, de son vieux cocon familial et est-ce qu'il a laissé des mois et des mois une famille, une fiancée ? Est-ce qu'il a eu peur, qu'il s'est ennuyé, qu'il a tenu un fusil et connu la moiteur des mains sur le fusil et la chaleur étouffante, et, oui – je sais tout ça.

Je sais qu'il est un peu trop jeune.

Patou a regardé les gendarmes et le maire en les fixant avec une sorte d'intransigeance, de lassitude aussi lorsque le maire a sorti son portefeuille et qu'elle a dit offrir la tournée. Puis sur le même ton, cette fois presque à voix douce,

Peut-être qu'ils porteront pas plainte ?

Comptez sur moi pour qu'ils le fassent. J'ai envoyé un médecin pour la femme. Les enfants sont traumatisés et elle aussi elle est traumatisée, on ne peut pas laisser faire ça.

Ménard a parlé très sereinement, très calmement. Mais c'était sans appel, et bien sûr Patou n'a pas répondu tout de suite. Elle est passée derrière son comptoir et, sans regarder ni Ménard ni le maire, est allée chercher une cigarette qu'elle a allumée, puis s'est assise à côté de son mari, près du tiroir-caisse. Moi, j'avais fini par me lever et les rejoindre. Ménard a posé sa main sur la poignée de la porte. Il a attendu avant d'ouvrir.

Je sais bien qu'on peut pas. Je sais bien que c'est pas défendable, a dit Patou. J'étais sûre qu'un jour il ferait une connerie. Ça aurait pu être pire. Je veux dire –

Je sais ce que vous voulez dire, l'a interrompu Ménard, mais comptez pas sur moi pour laisser passer.

Et c'est à ce moment-là seulement que le maire a eu l'air vraiment intéressé ou concerné, au moment où ils allaient partir et où il a lâché comme ça, presque avec désinvolture, ou plutôt, non, disons un air entendu, entre nous, on serait d'accord, pas polémique du tout, ce serait du genre évidence, voyez, les alcooliques, les ivrognes, trognes, plaies, parasites, ceux qu'on se traîne, nous, et la mairie qui paie, citoyens, tout ça, vous comprenez ; un petit hausse-ment d'épaules, on n'a pas trop de clochards ici ni de mendiants et tant mieux, semblait dire le maire quand il a repris, allons, on sait bien comment c'est, n'est-ce pas, on le sait. Et Patou l'a regardé sans vraiment moufter, impassible, si ce n'est qu'elle s'est levée pour éteindre sa cigarette et le laisser dire, sans l'envoyer au bain ni même faire l'effort de le regarder, que tout ça était prémédité, cette histoire de broche, cette provocation, c'était une provocation, une mise en scène, n'est-ce pas, impossible autrement, pas assez con, ni fou, ni ignorant ni à côté de la plaque pour ne pas se douter du scandale, et d'aller acheter un bijou pareil, tordu, cinglé, mais quand même, franchement, c'est vrai cette histoire ?

Rabut, répondez, c'est vrai, vous confirmez ça ? Je veux dire, vous confirmez encore ?

Et moi relevant les mains pour acquiescer encore une fois, énième, encore, c'est vrai, quand Patou ne s'est pas rassise mais au contraire dressée bien droite pour dire,

Non, ce n'est pas vrai.

Et raconter qu'elle était avec lui juste avant, et aussi qu'eux deux, Jean-Marc et elle (et le geste rapide de se tourner vers son mari pour demander une approbation qui est venue tout de suite, d'un signe de tête et d'un oui presque crié, disproportionné), que même eux deux le savaient depuis des semaines, depuis des semaines Feu-de-Bois avait préparé son coup, non pas celui d'une préméditation ou d'une machination, non, la seule chose qu'il avait préméditée c'était d'offrir à une femme qui est veuve, vous pouvez comprendre ça, lui offrir un cadeau comme font les hommes, comme vous faites, vous, à vos femmes. Vous allez me dire, je sais, oui, c'est sa sœur, pas sa femme. Attendez, c'est à ça qu'il avait réfléchi longtemps ;

c'est ça qu'il avait prémédité. Il se disait qu'elle n'avait personne pour lui offrir ce genre de cadeau. Un bijou. Lui, il y avait pensé. Il avait réfléchi et je trouve que c'était bien de sa part, non, vous trouvez pas, vous, de penser à sa sœur en se disant que personne d'autre lui offrirait un bijou comme ça parce qu'elle avait personne pour le faire ?

Puis le maire et les gendarmes sont partis. Sans vraiment lui répondre, esquissant des gestes de la tête qui voulaient dire qu'ils comprenaient ou peut-être qu'ils ne comprenaient pas et ne savaient pas quoi penser. Ou bien seulement pour remercier des verres et dire au revoir.

J'ai voulu parler de retourner vers la salle des fêtes, mais à peine les trois hommes étaient sortis que Patou a parlé de le défendre, lui, parce qu'il avait agi comme un fou, un désespéré, un insensé, sûr, un idiot alcoolique et taciturne, colérique, c'est vrai, ce qu'on veut, comme on veut, mais pas un homme méchant ; il n'est pas méchant m'a-t-elle répété encore et encore quand moi je la regardais et que je le regardais, lui aussi, son mari, son regard fixement posé sur les gestes de sa femme au moment où elle a écrasé sa cigarette ; la cigarette à peine fumée, cassée en deux d'un coup sec – les ongles d'un rouge épais, brillant, vermillon, et les cendres et la blancheur du papier de la cigarette, son rouge à lèvres sur le mégot jaune paille et moi la regardant comme son mari aussi la regardait, je m'entendais encore avec cette phrase roulant dans ma bouche,

Monsieur le maire, vous vous souvenez de la première fois où vous avez vu un Arabe ? Monsieur le maire, vous vous souvenez ? Est-ce que vous vous souvenez ? Est-ce qu'on se souvient ? Que quelqu'un ? Est-ce qu'on se souvient de ça ?

J'entendais encore cette phrase et déjà, à ce moment-là, j'ai ressenti en moi s'affaisser, s'enliser, s'écraser toute une part de moi, seulement cachée ou calfeutrée, je ne sais pas, endormie, et cette fois comme dans un sursaut elle s'était réveillée, les yeux grands ouverts et le front soucieux, la tête lourde, cette vieille carcasse endormie dans ma tête quand je me suis demandé pourquoi cette phrase-là avait surgi et avait fait un tel bond dans ma poitrine – parce que le mouvement du cœur je l'ai senti comme l'angoisse d'attendre, attendre encore un rendez-vous, un moment comme un jour d'examen, et la colère aussi, ce scandale aussi, en moi, de vouloir les faire taire, eux, les gendarmes, Ménard avec ses descriptions et ses détails, et moi en rajoutant quand j'avais entendu ses mots, moi les inventant, invitant les visages, les peurs, les images, tout qu'il avait dit, et ce mouvement aussi, ce retournement, pourquoi j'avais voulu défendre Feu-de-Bois en voulant jeter ces mots-là au maire,

Monsieur le maire, vous vous souvenez ?

Et la honte si violente aussi, de cette phrase, de son surgissement. La honte qui avait appuyé si fort que les mots n'étaient pas sortis, n'avaient pas pu et, au contraire de cette agression qu'ils voulaient porter sur le maire et les gendarmes, avaient laissé place à l'étonnement, la stupeur pour moi d'entendre dans ma tête

77

des mots sortis de nulle part, et si nettement, si absolument énoncés, non pas bribes d'idées, images, confusion, mais cette phrase claire et nette, et derrière elle, aussi, la certitude, le mouvement d'agacement dont je me suis surpris moi-même, comme une vague, un élan, une attaque pour dire ça suffit et défendre alors quelque chose en Feu-de-Bois qui n'était pas le lien familial, qui n'était pas l'amitié, le respect, ni même une sorte de compassion ou de besoin de défendre, comme ça, sans justification autre que l'élan, celui qui a tort et dont on sait que personne ne le défendra.

Je dis ça, mais c'était très confus. Maintenant je me le rappelle, parce que je me souviens que c'est en me laissant troubler par ces idées-là que je regardais Patou.

Et au lieu de lui répondre, au lieu de dire quelque chose, je restais là, devant elle, regardant la cigarette cassée en deux dans le cendrier d'un noir brillant, avec ce rouge vermillon aussi, Marlboro, du même rouge que le vernis à ongles de Patou.

Je vous ressers un verre ?

Non, je vais y aller.

J'ai marché vers la porte, j'ai saisi la poignée. Puis me suis retourné. Je suis revenu au comptoir et c'est moi qui ai lancé l'attaque, comme ça, sans prévenir, d'une voix trop haut perchée dont le ton est venu de lui-même se briser, le temps de racler ma gorge, de tousser et de me cacher derrière le poing fermé alors que j'avais dit,

Non, Patou, Feu-de-Bois ça a toujours été un type bizarre, vous le connaissez pas comme moi je le connais. Voyez, je suis pas sûr que vous compreniez. Je peux vous en dire, moi, sur lui, sa vie, jeunesse, mariage, enfance, oui, ça, l'enfance, on peut commencer par ça si vous voulez. Et pas seulement des détails type torturer les bêtes ou des bêtises de gosses qui ne veulent rien dire, découper les queues des lézards, lester des grenouilles et les jeter à l'eau, les regarder se noyer, les faire fumer pour qu'elles explosent et avec une carabine à plomb tirer les oiseaux, les poules – jeux de gosses de la campagne –, je ne parle pas de ça.

Mais d'après, de plus tard, dans l'adolescence.

Vous savez l'histoire de sa sœur, la mort de sa sœur, Reine, ça ne vous dira rien mais moi, Feu-de-Bois, si je peux le regarder sans y penser, ça fait quoi, quelques années seulement, parce que, avant, c'était pas possible ; chaque fois je le revoyais comme je l'avais vu contre le mur de la chambre, avec les murs blanchis à la chaux, les cierges et le lit-cage très bas dans lequel elle était étendue, elle, mourante, exsangue, avec les pleureuses des maisons du hameau, les vieilles, l'odeur de paraffine et de renfermé, l'eau de Cologne et le missel sur la petite table, le gant de toilette humide sur son front et l'odeur de poussière, le pollen qui volait au-dehors et le silence, le crucifix au-dessus du lit, les dentelles sur les meubles, chapelets, des embrassades, des jérémiades vous pouvez pas savoir le mal au ventre et l'envie de gifler qui vous prend, pas encore une seule maison neuve mais des maisons

79

en pierre, mal foutues, petites, épaisses, sombres, chichiteuses on aurait dit, presque fermées comme des mains jalouses de leurs petits secrets et maladroites aussi, tellement. Et ça puait là-dedans, je me souviens bien les odeurs d'eau croupie, de savon, de vaisselle, le bourdonnement des mouches contre le carreau de la fenêtre et la toile cirée avec les taches de vin, me souviens de lui aussi dans son coin, à l'angle, près de la fenêtre, adossé au mur, son air de dégoût, si rigide, droit comme la vertu ou la justice ou ce que vous voudrez lorsqu'il regardait sa sœur mourante et le berceau à côté d'elle.

Que je vous explique. Oui, je vais trop vite.

La petite sœur morte en laissant un enfant sans père ni mère, sans rien qu'un corps et l'étonnement d'être au monde, son étonnement à lui et celui des autres, tous les autres, toute la famille, la Vieille s'occupant de l'enfant pendant que les autres n'auront que des mots et des murmures à glousser pendant trente ou quarante ans pour s'en remettre, de ça, par exemple, mais aussi de Bernard – c'était pas Feu-de-Bois à l'époque – le cou penché en avant, la nuque raide, jouant avec la lame d'un canif pour se curer les ongles et ne pas regarder autour de lui quand les autres pleuraient ou s'attendrissaient, pendant que lui il regardait ses ongles et la crasse noire sur la pointe de la lame, en marmonnant des insanités. Je vous jure, ai-je répété à Patou et Jean-Marc, il n'est pas si gentil que vous avez l'air de le dire, le croire, il n'est pas qu'un gars perdu et déglingué par la vie, non, pas seulement, même si la vie l'a déglingué, pour autant son intransigeance et la dureté dans son regard lorsqu'il était là-bas, le jour où la petite sœur est morte, adolescente, faut pas croire, j'invente pas et aussi je me souviens très bien d'elle, châtain, jolie, timide, morte peu après l'accouchement et morte aussi de honte, de rage, de douleur en entendant derrière sa fatigue et la perte de sang le silence de son frère, tout droit contre le mur blanchi de chaux, son regard implacable, froid, son articulation très nette, très lente et sans colère, presque à voix basse pour dire qu'elle était une salope, je me souviens quand j'étais entré dans la chambre, salope il disait, murmurait, répétait, de sang-froid, salope, lui qu'il avait fallu obliger à sortir, lui, parce qu'il avait haussé les épaules, ça s'oublie pas, vous comprenez, je peux pas pardonner des choses comme ça, parce que lui était brutal, calme et déterminé.

Qu'est-ce que vous voulez, je ne parle pas des chatons qu'il balançait à la naissance contre les murs, pour voir, je ne vous parle pas de la bêtise, de l'abrutissement de nous autres, dans nos campagnes. En ce temps-là, on n'avait pas vu grand-chose et on n'attendait rien – parce que, à quatorze ans, on allait aux champs et on rêvait d'avoir le permis et d'emmener la petite d'à côté au bal du samedi soir, à la foire, aux manèges le dimanche et le lundi de Pâques, et c'est à peu près tout.

Et puis ce silence quand j'ai fini de parler. Mon épuisement. Jean-Marc s'est approché, il a servi un cognac qu'il a posé sur le comptoir. Je l'ai pris tout de suite, mais je n'ai pas bu. J'ai regardé le verre longtemps, et la petite flaque couleur d'ambre à l'intérieur.

Et j'ai repris.

Évidemment, évidemment vous vous l'aimez bien parce qu'il vous a eus aux sentiments. Il a parlé de la région parisienne, ses années là-bas et vous avez aimé ça, un gars d'ici qui connaissait votre région. Pas seulement la tour Eiffel et tout ça, mais les rues, les avenues. Un paysan capable de vous en boucher un coin avec des histoires incompréhensibles pour nous, ça vous a fait rire, vingt et unième arrondissement et des trucs pour initiés qu'il répétait, nous répétait, me répétait à moi aussi, avec sa façon en catimini de nous mépriser, gens d'ici. Vous avez trouvé ça bien, je vous comprends. Un gars d'ici qui savait d'où vous veniez, pour qui la Grande Ceinture ça ne voulait pas rien dire, mais dire les transports en commun et Billancourt aussi. C'est peut-être à cause de tout ça, mais laissez-moi vous dire : moi, je ne l'ai pas vu là-bas, dans la région parisienne, dans sa vie d'ouvrier, avec son bleu, à l'usine, au montage des voitures, mais ce que j'ai vu c'est lorsqu'il est revenu.

Je pourrais vous en dire pendant des heures, de sa silhouette qui devenait de plus en plus épaisse et traînait dans le bourg pour revoir les uns et les autres, et pas que les vieux copains, pas que les Fabre avec leurs chèvres qui se promenaient dans les champs toute la sainte journée, pas que ceux de l'enfance, de la Migne, ou des hameaux alentour, des voisins – ce qu'il en restait des voisins, ceux qui n'avaient pas largué les fermes mais avaient laissé les vieux y finir une histoire vieille comme les pierres, bien étonnés que les fils aient foutu le camp. Non, ça l'a bien surpris aussi, ça, et presque choqué, de voir qu'il n'était pas le seul à être parti de chez nous, quand en revenant il s'attendait à trouver les fils à la place des pères et les filles à celle de leurs mères. Sauf qu'entre-temps, bon, bref, pas refaire le film, vous savez, on sait tous, les pavillons, comment ça a poussé dans le sillon des usines, le pavillon de Solange l'un des premiers, des plus grands, dans un champ.

Rabut.

Avant, il y avait rien ici. La Bassée, c'était des champs et même des coquillages vieux de je sais pas quelle ère avant nous.

Rabut.

Alors, quand il est revenu, après toutes ces années, pour lui ça n'a pas été que la surprise de trouver un monde complètement différent et bouleversé, mais autre chose, oui, de choquant, je suis sûr, il s'était cru fort ou malin d'avoir réussi à partir – d'ailleurs, non, je me reprends, pas à partir. Disons plutôt, à ne pas revenir. Parce que partir, pour sûr, on ne lui avait pas demandé son avis.

Rabut.

C'est plutôt qu'après le séjour au club Bled, oui, c'est ça, toujours de quoi rire, déjà ça, la rigolade, qu'on y aille, il avait osé ne pas revenir et n'en faire qu'à sa tête, sa vieille tête de mule et aujourd'hui voilà où on en est –

Rabut.

Rabut. Pourquoi vous dites tout ça. C'est pas la peine de charger la barque. Il a pas besoin. Non ? Vous croyez pas ?

Je n'ai pas répondu à Jean-Marc.

J'ai levé mon verre de cognac et l'ai porté à mes lèvres. L'odeur est venue me caresser les narines et me réchauffer, mais je n'ai pas bu. J'ai reposé le verre et j'ai suivi Patou du regard, qui était passée de l'autre côté du comptoir et qui, sans rien dire, avait commencé à prendre les chaises et les retourner sur les tables. C'est Jean-Marc qui a parlé.

Il a dit : Écoutez, Rabut, votre cousin, il est ce qu'il est, mais quand il parle de vous, il dit pas de mal. Il dit le bachelier et ça le fait rire tout seul, mais c'est tout. Et puis des fois, bon, je dis pas, c'est quand vraiment il est soûl et qu'il en remet une couche contre les Arabes ou le monde entier, mais quand même, qu'est-ce qui va se passer, hein, ils vont lui faire un sermon ils vont le foutre en taule et alors, ça changera quoi, faut quand même qu'il soit déjà à moitié foutu pour avoir déboulé chez les gens comme ça, je comprends pas, il a perdu la tête et demain, demain peut-être il sera trop tard, peut-être que, enfin –

Il s'est tu d'un seul coup, laissant sa phrase en suspens et son regard sur la porte vitrée : Nicole était de l'autre côté et hésitait à entrer.

Elle avait l'air minuscule dans son manteau, et l'air surpris, inquiet, presque en colère de me trouver ici, au bar, avec ce cognac que je n'arrivais pas à boire et dont j'avais regardé la couleur ambrée pendant que Jean-Marc avait parlé, comme pour y trouver un refuge, un lieu où fixer l'errance de mes idées. Et alors il a fallu interrompre Nicole lorsqu'elle a commencé à me poser des questions,

Qu'est-ce qu'ils voulaient les gendarmes ?

Qu'est-ce qu'ils voulaient avec le maire ?

Qu'est-ce qu'ils voulaient que vous pouviez pas dire devant nous ?

Qu'est-ce qui se passe ?

Et son regard cherchant auprès de Jean-Marc et de Patou. Celle-ci ne bronchant pas, ne disant rien et relevant même à peine les yeux. Elle a continué à ranger les chaises sur les tables, puis elle est allée chercher un balai.

Moi, voilà, j'ai raconté à Nicole.

Et Solange. Il faut prévenir Solange. Il faut. Et qu'on appelle Saïd pour prendre des nouvelles. Sa femme, et, surtout, il n'a pas fait de mal aux enfants – la voix inquiète de Nicole, son regard au bord de la panique avant que je lui dise que de ce côté-là tout allait bien.

Ils ont vu le médecin et je ne sais pas ce qui va se passer, ils ne veulent pas porter plainte mais le maire y tient et les gendarmes aussi. Ils veulent les pousser à le faire, demain ils veulent retourner les voir pour que Chefraoui porte plainte, qu'il le fasse, qu'il n'ait pas peur, c'est ça qu'ils disent, qu'il a peur.

Et puis aussi ils veulent que je les accompagne chez Feu-de-Bois, demain matin. Ils veulent l'entendre et lui dire qu'ils ne laisseront pas tomber.

Et je n'ai pas pu continuer parce que, moi, à ce moment-là, je ne sais pas pourquoi cette phrase est revenue, comme ça, qu'elle m'a traversé l'esprit, un flash, une attaque, une fulgurance dont je me suis débarrassé en vidant d'un coup le verre de cognac, d'une seule gorgée, en disant à Patou et Jean-Marc, sur un ton exagérément fort,

Allez, oui, je vous tiens au courant,

Et à Nicole,

Allez, on y va,

Quand je me disais,

Rabut, qu'est-ce que c'est, qu'est-ce que t'as, ce trouble, là, toi qui pour rien au monde ne pardonnerais à Feu-de-Bois, qu'est-ce que c'est, pourquoi il y a derrière la haine et le mépris et ce vieux sentiment jamais calmé contre lui, autre chose, pourquoi tu ressens autre chose, un autre mouvement, plus lointain, souterrain et qui monte et te murmure des mots malsains comme la peur, cette colère aussi, non, c'est pas de la colère, c'est quoi, qu'est-ce que c'est, ça, cette phrase qui revient,

Monsieur le maire, monsieur le maire, vous vous souvenez de la première fois où vous avez vu un Arabe ? Monsieur le maire, vous vous souvenez ? Est-ce que vous vous souvenez ? Est-ce qu'on se souvient ? Que quelqu'un ?

Est-ce qu'on se souvient de ça ?

Quoi, qu'est-ce que tu dis ?

Est-ce que quelqu'un ?
Qu'est-ce que tu dis ?

Rien.

Et à ce moment-là, ce dont je me suis souvenu
– enfin, pas un souvenir, pas déjà, mais une image
devant moi, presque aussi vraie et réelle que le froid
et la neige : un matin de printemps – au printemps
soixante-dix-sept ou soixante-dix-huit –, des gens
estomaqués à l'Intermarché, stoppant net leurs provisions, surpris uniquement de voir si près d'eux un
couple dont l'extraordinaire tenait à une djellaba vert
anis et un foulard bleu clair, des mains recouvertes
de henné.
Rien d'autre.
C'était la première fois qu'on voyait des étrangers
ici. Et ce qu'on n'avait pas imaginé, ça avait été cette
petite minute d'étonnement pour tous ceux-là, nos
femmes, parents, amis qui des années auparavant
nous avaient attendus pendant des mois et avaient lu
nos lettres, vu nos photos, et qui se demandaient bien,
eux, quelles têtes ils avaient *en vrai*, de l'autre côté
de la mer.
Oui, les premiers jours, les premiers mois, cette
drôle de découverte et de curiosité.
Et puis, pour nous autres, ça avait été comme de
revoir surgir des morts ou des ombres comme elles
savent parfois revenir, la nuit, même si on ne le
raconte pas, on le sait bien, tous, à voir les autres des
anciens d'Algérie et leur façon de ne pas en parler,

de ça comme du reste. On a parlé de tout et de rien, de la bourriche annuelle, de la loterie à organiser, du prochain banquet et du méchoui. Parce que tous les ans, on faisait un méchoui.

Mais pas un mot sur Chefraoui quand il avait débarqué avec toute sa petite famille, pas même pour se demander d'où il venait, plutôt Kabyle ou quoi, rien, on n'a pas demandé. On aurait pu. Et même parler avec lui on aurait pu, dire,

Ah, oui, je connais par là, c'est beau par là.

Mais, non. Ça non plus. On ne l'a pas fait.

Sauf qu'on y pensait, c'est sûr, mais comme d'une pensée dont il aurait fallu avoir honte, dont on avait honte comme de revoir surgir une part de nous, la vieille histoire de notre jeunesse.

Mais tout le monde a dû avoir des pensées un peu malsaines, en cachette, pour lui-même, se croyant seul à les avoir ruminées des années, tout seul, bien enfouies dans les plis des souvenirs, dans les recoins, les ombres, marécages, eaux dormantes, ou bien seulement entre amis avec un petit coup dans le nez,

L'Algérien, vous avez vu, il a le même âge que nous, oui, comme nous.

Sauf que.

Vous savez d'où il était, d'où il vient ?

Et même au début on n'était pas sûr qu'il était algérien, il aurait pu être marocain ou tunisien. Mais pour nous, forcément c'était un Algérien.

Le froid, lorsque Nicole et moi nous sommes sortis. Le froid, lorsque nous avons traversé la rue, presque en courant. Nous sommes vite entrés dans la salle des fêtes où la lumière si blanche, si froide aussi, le silence et cette grande pièce presque vide, nous ont accueillis en laissant à la porte toutes ces idées, ces images, ces souvenirs, mais avec seulement un battement de cœur un peu plus fort et un prénom, un visage : Solange.

Il n'y avait plus de nappe sur les tables, et celles-ci maintenant n'étaient que des planches, sauf une, celle du milieu, où les derniers invités s'étaient regroupés. Alors, c'était comme si maintenant on se retrouvait dans un cercle très restreint, presque refermé autour de Solange. Mais ça n'a pas duré longtemps. Le temps pour elle de comprendre, de réprimer l'envie de pleurer et de laisser la colère l'envahir, lorsqu'elle a juste laissé échapper qu'on finirait toute cette nourriture le lendemain, pour ceux qui voudront venir, ils pourront – façon aussi pour elle de demander aux gens de partir, de couper court à toutes ces discussions dont elle ne pouvait pas ignorer sur quoi elles allaient porter, ou, plutôt, sur qui.

Et ça, elle n'a pas voulu.

Pas qu'on remette encore sur Feu-de-Bois toutes les haines et les rancœurs qui traînent dans la famille, dans la vie, ici, partout, parce que cette fois elle ne pourrait pas le défendre. Et elle n'essaierait même pas. Elle ne pourrait pas – pour autant, ne pas céder, ne pas aller dans ce vieux sens qu'on avait toujours voulu lui imposer depuis l'enfance, parce que tout le monde déjà reprochait à son frère, ce frère, d'être une sorte d'enfant invisible, à sa façon sournoise, haineuse aussi, de se fondre dans le bois du Cheval Blanc ou dans les maïs et les blés où il disparaissait des journées entières avec ses copains Fabre, eux, si sales et aussi stupides que les chèvres qui les promenaient, oui, les chèvres décidaient de la route et eux, en sifflotant, les joues brûlées par le soleil ou les lèvres fendues par le froid, peu importe, ils les suivaient sur le bord des routes et dans les champs des uns et des autres, qu'elles dévastaient en arrachant les plants, les pousses, tranquillement, indifférentes. Et la Vieille et le Père étaient tous les deux en colère, toujours, comme tout le monde, depuis toujours, contre lui.

Comme si lui devait porter toute la colère des autres et ne pas répliquer, jamais.

Et il ne répliquait pas, jamais.

Alors là, non. Pas envie d'être d'accord avec les autres, tous les autres qui n'attendaient que ça, de le descendre une bonne fois pour toutes. Et c'est parce qu'elle l'aimait qu'elle est restée sans voix, blême ; et c'est aussi parce qu'eux savaient combien elle ne supporterait pas de les entendre dire du mal de lui que tous se sont levés et sont allés chercher leurs vêtements, les uns après les autres, pour glisser doucement vers la porte et remercier vite fait et disparaître presque sans un mot.

Et pourtant ça ne m'a pas empêché, tout à coup, de parler, de lâcher une parole trop retenue, sans que personne ne réponde, seulement surpris que je parle si fort et que j'aille chercher mon attaque si loin dans le temps, au moment où Bernard, pas encore Feu-de-Bois, avait refait surface.

Je me suis éloigné de la table pour aller me mettre contre le radiateur, les mains dans le dos pour les réchauffer. J'ai parlé et pendant ce temps-là la table s'est vidée. J'ai regardé Nicole qui débarrassait et ne disait rien, Solange qui passait comme si elle ne prêtait attention qu'aux verres dans ses mains, aux tasses, aux carafes d'eau qu'elle rapportait dans la cuisine, de l'autre côté, passant devant moi et regardant fixement devant elle, sans écouter vraiment ce que je disais, quand moi je sentais bien ne plus pouvoir arrêter ça, ce déluge –

Solange, rappelle-toi. Nicole, tu te souviens. Vous vous souvenez ? On s'en souvient tous les trois, tous, de ça, oui, ça fait presque vingt ans qu'il est revenu et même un peu plus –

En soixante-seize.

Comment tu te souviens ?

La chaleur.

Oui, soixante-seize, peut-être, ai-je répondu à Solange qui avait parlé sans me regarder, sans rien attendre, retournée quelque part en elle-même, puisque Chefraoui n'était pas encore installé ici, donc, un peu plus tôt, en soixante-quinze, soixante-seize.

Oui, c'est ça. Il avait fallu aller le chercher à la gare et c'est moi qui m'y étais coltiné, aucun de ses frères n'avaient voulu – je me revois encore dans l'Ami 8 avec les sacs de ciment derrière, parce que je finissais de fabriquer les dalles pour faire les parterres, et lui, lorsqu'il était entré dans la voiture, tout de suite, avec son barda, une vieille valise en bois et un grand sac en plastique avec de gros pulls roulés à l'intérieur qui ne tenaient pas dans la valise, je me rappelle qu'il avait à peine dit bonjour, comme si on ne s'était pas vus seulement depuis la veille.

Tu viens pour longtemps ?

Se contentant de jeter un regard derrière et de s'étonner en voyant les sacs de ciment avant de marmonner,

Je sais pas. Peut-être. Sûrement.

Et puis, rien. Le silence. Après quinze ans. Et moi qui hésite, qui attends, relance,

Et, Mireille ?

La seule réponse, ça avait été le moteur de l'Ami 8.

Et déjà l'air plus dur qu'avant, dès son retour je me suis dit, ça va pas, quelque chose de cassé, l'œil trop bleu, presque transparent, vide, des moustaches comme son père en avait, et l'air bourru des vieux d'ici.

Vous vous souvenez comment dès le retour il a été, sans répondre à rien, et même, sur Mireille, pourquoi il l'avait laissée comme ça, sa femme et ses deux enfants aussi, les deux gosses, rien, pas un mot même à toi, de ses gosses, Solange, même à toi il n'a rien dit de ça, ses gosses, il est parti et il a laissé ses gosses et jamais il n'a rien dit. Mais aussi toujours son arrogance derrière les rides et la peau très blanche, très sèche. Les cheveux coiffés en arrière, graisseux et longs qui lui tombaient dans le cou. Et puis une vague odeur de transpiration comme lorsqu'on a dormi dans ses vêtements.

Je m'étais raconté qu'il avait dû partir de chez lui depuis quelques jours, peut-être, et qu'il avait hésité longtemps avant de se décider à rappliquer chez nous, à affronter les gens d'ici et son passé encore : c'est-à-dire sa mère.

Et je sais que Solange n'écoutait pas. Elle réfléchissait à ce qu'elle voulait faire, qu'elle pensait devoir faire.

Ça a été de rentrer chez elle pour téléphoner à Chefraoui.

Et nous, on l'a accompagnée. On était chez elle à peine vingt minutes plus tard, Nicole et moi assis dans la cuisine, écoutant la voix de Solange qui venait du couloir.

On la voyait de dos, on la regardait, debout, voûtée, sa nuque penchée sur le téléphone, la main crispée sur le combiné. Il fallait la regarder fixement, la soutenir, répondre à ses attentes lorsqu'elle se retournait vers nous pour chercher une aide, comme si nous on entendait ce que Chefraoui lui répondait alors que, depuis le début de la conversation, elle s'était un peu repliée sur elle-même pour avoir le courage de faire le numéro et d'entendre la sonnerie – ça avait sonné longtemps, on était déjà installés dans la cuisine et je me revois servant à Nicole des verres d'eau, trois ou quatre fois, et la bouteille d'un plastique trop fin qui s'écrase presque sous la pression des doigts, la voix de Solange, son regard et cette façon de se tourner vers nous, les yeux grands ouverts, la voix chevrotante lorsqu'il avait fallu parler,

Oui. Oui, tu me passes ton papa s'il te plaît ?

Oui, Saïd, c'est Solange.

Comment ça va ? Les enfants, et ta femme, dis-moi, comment ça va, –

T'es sûr ? C'est sûr –

Les gendarmes et le maire sont venus, ils ont raconté à mon cousin. Ils disent –

Oui, Saïd, je sais. Saïd, je suis tellement –

Ta femme et tes enfants, ils ont eu peur, tes enfants ? C'est lequel qui a décroché ? Et ta femme, qu'est-ce qu'on peut faire, tu es sûr que ça va aller ? Sûr ? Je comprends pas. Ce qu'il lui a pris de faire ça, je comprends pas, je sais pas ce qui se passe dans sa tête, je suis vraiment, tu sais, je, je voulais –

Non, non, Saïd. Je sais pas, Saïd. Je –

Ils ont dit que demain matin de toutes les façons ils passeraient chez lui et moi j'ai décidé que j'irai avec eux, avec Rabut aussi, on ira, il va bien falloir qu'il dise quelque chose et qu'il vienne s'excuser ; ça, moi, non, je lâcherai pas, ça a beau être mon frère, je

peux pas accepter ça, non, je veux pas, je peux pas,
tu comprends, c'est pas normal –

Saïd, je sais bien que tu veux pas d'histoires, c'est
pas toi qui fais des histoires –

C'est gentil Saïd, mais, là, qu'est-ce que tu veux,
oui, tes enfants, dis-moi, ça va, il les a pas touchés,
c'est vrai, tu me dirais, n'est-ce pas, tu me dirais,
oui –

Ta femme. Oui. Elle pleure. Maintenant elle pleure.
Je.

Je sais pas trop quoi dire. Non, c'est lui qui fait
des histoires c'est pas toi je vois pas pourquoi –

Non, non, non.

Non.

Saïd.

Oui, si tu veux, mais moi je veux qu'il s'excuse
qu'il vienne te voir toi et ta femme, il faut qu'il –

Oui, je sais.

Les gendarmes et le maire veulent que tu portes
plainte. Ils vont revenir te voir pour essayer de te
convaincre et moi, franchement, je peux pas te dire

de pas le faire, je peux pas, ça me fait mal au cœur pour Bernard, mais je peux pas.

Et puis il y a eu un long silence.

Un long moment où elle a hésité avant de raccrocher. Puis ce temps, long aussi, pénible aussi, de revenir vers nous et de rester à nous regarder sans oser une parole, sans oser vraiment non plus un geste – elle qui d'habitude ne savait pas rester en place et qu'on ne voyait jamais s'asseoir que pour mieux se relever et ranger, déplacer des objets, allumer la télé puis monter le son, changer de chaîne. Mais là, elle n'a pas allumé la télé. Elle est restée devant nous sans rien dire, les bras ballants, et puis elle s'est mise à remuer la tête comme pour dire non, comme si elle se disait non, qu'en elle quelque chose voulait dire non, qu'enfin elle a pu dire, légèrement d'abord, sans autre mouvement qu'un souffle lâché entre les lèvres, non, comme si elle avait réussi à déplier dans la peau un espace étroit, si fin et minuscule qu'on le percevait à peine.

Je me souviens, elle a dit, je me souviens, au début, quand Saïd est arrivé ici, quand on a travaillé ensemble au début, les gens ne disaient rien, ça se passait bien et puis un jour il fallait voter pour les représentants du personnel de la mairie, pour les délégués ou je sais plus. Je sais que personne ne voulait se présenter. On était à la mairie. C'était une réunion. Tous les agents de la mairie étaient là. On se connaît tous et personne ne voulait être candidat, parce que tous savent que ça prend du temps, d'être délégué, et puis qu'il faut s'en occuper sérieusement ; et je me souviens de ce que ça a été quand il s'est proposé, Saïd. Ce moment entre les gens, je sais pas comment dire, la gêne, le silence, quelque chose entre les gens, dans les regards ou je sais pas, non, dans l'air, et c'est le gros Bouboule, avec son sourire de gamin et son visage tout rebondi et plissé autour des yeux et sous le menton qui a dit ce que les autres pensaient et qu'aucun n'était capable de reconnaître et d'assumer vraiment, comme si on ne se rendait pas compte, oui, de ce qui se passait.

Sa voix à elle au moment de raconter qu'ils n'avaient pas voulu de Chefraoui comme représentant.

Et lui qui s'était un peu insurgé, mais pas longtemps, qu'elle avait vu s'énerver un peu, dire son mécontentement, son étonnement surtout, dire et répéter encore, de moins en moins fort, de moins en moins sûr de lui, comme s'il finissait par se demander si le silence et la gêne ce n'était pas lui qui en était responsable, en vrai, comme si le doute pouvait s'insinuer, comme si à être si proche de nous lui-même pouvait commencer à penser pareil que les gens d'ici, au point d'admettre qu'il n'était pas normal pour lui de se présenter au poste de délégué, de nous représenter ici, et inutile, presque faux, indélicat, de dire qu'il travaillait comme les autres, qu'il était comme les autres et qu'il payait ses impôts comme nous tous.

Il avait hésité. Et puis il n'avait plus rien dit. On avait écouté le silence, qu'avait juste troué le clavier de la machine à écrire de la secrétaire à l'accueil de la mairie.

Nous sommes restés comme ça tous les trois, et bien sûr entre nous il y avait l'image de Chefraoui et de Feu-de-Bois, et entre eux deux bientôt l'image de la broche dans sa boîte bleu nuit.

Qu'est-ce que tu as fait de la broche ?

Elle est sur la table de la salle à manger.

Solange a répondu à Nicole sans la regarder vraiment, épuisée par le coup de téléphone et la voix de Chefraoui, épuisée par la journée et l'effort aussi qu'elle faisait pour comprendre, pour savoir comment réagir. C'est là qu'elle a parlé d'aller voir les bijoutiers pour savoir comment Bernard avait payé ; et alors il a fallu évoquer les autres, la famille, et reconnaître qu'ils avaient eu raison de ne pas cacher leur colère. C'est ça que soudain Solange n'a pas pu se retenir de dire. Comment au fond, avec la broche, il avait pleinement assumé le mépris dans lequel il les tenait tous depuis toujours, comme elle le savait et qu'elle avait toujours refusé de l'admettre, puisqu'on lui disait, on lui a toujours dit ça,

Hein, Rabut ? Toi, tu l'as toujours dit.

Oui, je l'ai dit, c'est vrai, je l'ai dit, ce qu'il est ton frère, tu sais très bien ce qu'il est.

98

Et j'ai pensé, qu'est-ce que tu veux que je dise, qu'on redise, quoi, quand il est revenu s'installer ici dans la ruine du grand-oncle, là-haut, comment ça m'avait choqué aussi, choqué, oui, de voir parmi les quelques photos dans leurs cadres, sur les murs, plutôt que les photos de ses enfants, seulement celles de la petite fille avec qui il jouait en Algérie – mon Dieu, ça qui revient, de repenser à la petite fille avec son chignon et son prénom arabe que j'ai oublié, ses chaussons et sa pèlerine boutonnée jusqu'en haut du cou, et ces images où on la voit, sérieuse, appliquée, sur l'une d'elles, celle où elle est de face, en plein milieu de l'image devant la fenêtre d'une maison (on voit un parterre assez touffu et le mur lépreux, le rideau à l'intérieur, fenêtre ouverte, elle sur sa trottinette le visage légèrement tourné vers sa droite, là où son ombre recouvre le gravier. Je me souviens bien de l'endroit, la trottinette rudimentaire, la petite fille grave et timide), et il y avait cette photo-là parmi quelques autres. Mais celle-ci avait été agrandie, et une autre aussi, où l'on voyait toujours la même petite fille sur sa trottinette : mais cette fois elle roule, elle est de profil, visage baissé, et Bernard tient les épaules de la gamine, une main qu'on voit, et l'autre invisible, de l'autre côté. Il porte le calot et il est très appliqué à aider l'enfant. Je me souviens très bien de ce bâtiment derrière et aussi le flanc de la colline et les broussailles, le ciel blanc, la dalle de ciment sur laquelle ils avancent, et mon ombre tout en bas de l'image, ma tête, mes mains et l'appareil photo qui forment une seule figure, comme une bête qui rampe.

Les vieilles photos dentelées et jaunes, le bord si large, et pas une seule photo de ses enfants à lui. Ça qui m'a choqué. Pas une seule photo de sa femme ni de ses enfants non plus alors qu'il en avait de ses amis d'Algérie, celle où il est avec Idir. On les voit tous les deux sur la photo – celle-ci n'a pas été agrandie –, un petit cadre gris acier où Idir pose avec Bernard sur une place, avec tous les drapeaux bleu-blanc-rouge dans le ciel blanc de l'Oranais – oui, choqué de voir comment Bernard avait osé mettre ces photos dans des cadres et puis qu'il les ait accrochées au mur quand il n'en avait pas une seule de sa femme et de ses enfants – et encore, de sa femme, passons, mais ses enfants, comment c'est possible d'en arriver à mépriser et vouloir oublier ses propres enfants ? Est-ce qu'il a parlé de ses enfants, qu'il aura dit un mot sur eux ? Non, bien sûr que non. Il a déboulé un jour ici sans prévenir personne ni même daigner expliquer pourquoi il était parti de la région parisienne, pourquoi il avait abandonné femme et enfants, un homme capable de faire ça, de faire bien pire – de ça, on ne peut pas parler parce que les mots qu'on avait à dire, qu'on aurait à dire, qu'on aurait eu, peut-être, à dire, si – enfin, non, tant pis – des images, des souvenirs –, il n'y en avait pas, on savait ça tous les deux, Bernard et moi, lorsqu'il est revenu, lui, il y a plus de vingt ans, quand moi j'avais vu dans la maison du grand-oncle ses photos d'Algérie.

Et pourtant il avait osé les encadrer, les mettre au mur et les montrer, là, et ne pas en parler, ne rien dire, comme si c'était des photos de vacances, et ne rien m'en dire, à moi, moi qui l'avais pourtant vu si souvent là-bas et avec qui il avait partagé le – bon, disons, oser, sans rien en dire, accepter qu'on puisse des années après se retrouver tous les deux et laisser entre nous des photos sur les murs, des photos pour nous regarder nous taire, moi qui aurais pu demander, l'air de rien,

Tu fais encore des cauchemars ?

Quand je n'ai rien demandé, seulement parce que j'avais compris qu'il n'y avait aucune photo de ses enfants, aucune photo récente, mais seulement dans des cadres, des lieux, des images que je connaissais : des photos dont certaines que j'avais prises et des personnes que j'avais connues moi aussi, là-bas. Idir posant fièrement en uniforme sur la place avec les drapeaux bleu-blanc-rouge un jour de 14 Juillet, et qui serait bientôt mort au même endroit, sans le drapeau bleu-blanc-rouge derrière lui.

Pas une seule photo de ses enfants.

Et moi qui n'avais pas osé lui dire, alors qu'on lui avait récupéré un matelas, des draps, des couvertures et quelques meubles, puis aussi ce vieux chaudron, moi qui n'avais rien osé lui demander, pas même,

Pourquoi tu reviens ?

Pourquoi tu ne dis rien de tes enfants ?

Et ta femme ? J'ai connu ta femme en même temps que toi, là-bas, à Oran. Tu pourrais me dire ce qu'elle est devenue, Mireille.

Mais je sais qu'il n'aurait rien répondu.

Il est là, tranquille, calme, il retape comme il peut la maison du grand-oncle et cherche du ciment pour consolider les murs et le plafond, le toit entier qui risque de s'effondrer. Il veut s'installer là, dans cet endroit si reculé, si éloigné de tout, sauf de chez sa mère, de la Migne. Et de ça il ne dit rien non plus. Il travaille tous les jours à retaper sa maison et très vite on le voit qui rôde autour de la maison de sa mère, qu'il cherche à venir chez elle, qu'il attend, qu'il regarde, qu'il guette le moment où elle acceptera de lui parler. On sait aussi que bientôt elle aura presque peur de lui, et qu'elle prétendra l'entendre marcher autour de sa maison, la nuit.

Mais elle n'a jamais voulu lui parler.

Et toi, Solange, toi, c'est pour ça que tu t'es mise à le protéger et à l'aider. Et tu n'as pas écouté quand on te disait qu'il était complètement fou, qu'il s'était mis à boire et que la nuit certains prétendaient l'avoir vu dans la forêt avec son fusil (et toi qui répondais et t'acharnais,

Et eux, qu'est-ce qu'ils foutaient dans la forêt, la nuit ?).

Et aussi des journées et des soirs entiers s'accrochant au comptoir, titubant, chiquant, roulant un crachat sous les moustaches, se vantant aussi de tuer les Arabes, d'en finir avec les Arabes, de nous libérer, il disait, des Arabes ; et même, il avait parlé de Chefraoui lorsqu'il s'était installé, en prétendant qu'il nous en débarrasserait.

C'est comme ça qu'il disait, Bernard. Quand il est devenu Feu-de-Bois.

On a tous fait semblant de ne pas entendre. Tous fait semblant de croire qu'il parlait seulement comme parlent les alcooliques, bouffés autant par l'alcool que par le ressentiment et la haine. Mais chez lui il y avait aussi l'aigreur d'un homme prétentieux qui aura dû renoncer à toutes ses prétentions, tombant les unes après les autres comme des masques incapables de tenir bien fixés sur son visage.

Mais dangereux, non. On pensait qu'il ne l'était pas. En tout cas, les autres le pensaient.

Parce que moi, je me disais, je me doutais, enfin, je crois que je me doutais, que je me racontais des gestes de lui comme des signes de violence, pas seulement la violence de ce que Février m'avait raconté, des années après qu'on était rentrés ici, le jour où il était venu me voir, moi et quelques copains.

Alors, ce qui arrive aujourd'hui –

Rabut. Quand il est revenu la Vieille n'a même pas voulu le voir.

Oui, Solange, je sais.

Son fils qu'elle n'avait pas vu depuis quinze ans.

Je sais. Il s'est marié, t'es la seule qu'il ait prévenue.

Elle aurait pu lui pardonner. Elle aurait dû. Un fils, c'est un fils. Moi je me dis, si un de mes fils. Il me semble qu'un fils, pour une mère, je crois. Nicole.

Oui.

Oui, c'est ça qui compte et même la Vieille, même elle, elle était malheureuse de ça. Quand le Père est mort, il n'est pas descendu pour l'enterrement. Comment veux-tu qu'elle pardonne ça, hein, Rabut ? Il ne nous a jamais présenté sa femme ni ses enfants, à nous, sa famille, tu te rends compte de ça ?

D'accord, Solange, mais quand même, il est revenu. Il s'est installé ici parce qu'il voulait voir sa mère et revenir, recommencer ici. Et puis peut-être –

Qu'est-ce que tu vas chercher, Rabut, c'est fini. Tout ça c'est fini –

Non, Solange, pas fini. Quand il est revenu je me le rappelle comme si c'était hier et même, plus ça va, plus c'est vieux, plus ça devient clair : pas un mot, à personne. Il a seulement retapé la maison du grand-oncle.

Et je me souviens, dans la grange – tu t'en souviens bien de la grange, n'est-ce pas, Solange, sûr, obligé, ton repas de noces, là où on a tous laissé traîner des vieilles affaires, des vélos, des Mobylettes, il y a même l'Aronde de mon père, elle y est encore ; et lui il aurait pu vouloir tout vider, tout enlever mais non, non, surtout pas, comme s'il était revenu pour reprendre là où il s'était arrêté quinze ans plus tôt, lorsqu'il a été obligé de tout laisser en plan, ici, surtout son argent, ce fameux argent qui l'a rendu complètement dingue, Février le disait – Nicole, tu te souviens de Février, tu te souviens de lui ? c'était il y a longtemps ça aussi, à la fin des années soixante, il était venu, on ne l'a pas revu depuis –, oui, son fric et sa mère, voilà de quoi il parlait lorsqu'il est arrivé en Algérie, même pas qu'on lui avait collé un uniforme sur le dos, ou des heures de train, des casernes de transit, de la mer, du bateau, de se retrouver seulement tous les deux à une vingtaine de kilomètres de distance, au bord de la mer tous les deux, moi à la ville et lui, avec Février, tranquillement cantonnés à garder une forêt de citernes de gaz ou de pétrole, je ne sais plus, au pied des collines, comme s'il ne voyait rien de tout ça parce qu'il était obsédé par l'argent qu'il avait gagné à la loterie, et son pactole qu'il avait dû laisser entre les mains de sa mère : sûr qu'elle trouverait une façon de le dépenser. Il était outré. Déjà fou furieux, en ce temps-là, comme il était trop sérieux en allant à la messe lorsqu'il était gosse, à tout prendre avec trop de gravité, rigide, incapable d'infléchir un peu ses principes –

Rabut, c'est pas vrai.

Si, c'est vrai, Solange. C'est vrai, je m'en souviens, moi, de l'avoir vu, et même Mireille pourrait le dire, parce que la première fois qu'on s'était retrouvés c'était à Oran, je me souviens, le bar, Mireille, Gisèle, Philibert, et d'autres encore. Je me souviens des gens, de tout, de comment elle était, Mireille, quand on l'a rencontrée.

De quoi tu me parles ? Qu'est-ce que ça a à voir, rien.

Si.

Mais non, il n'était pas comme ça avant. Un homme qui n'a pas de femme depuis si longtemps, vous pouvez pas comprendre ce que c'est, vous parlez, vous parlez, mais ça, vous comprenez pas –

Solange, je dis pas qu'on comprend la solitude –

Non, Rabut, heureusement que tu le dis pas.

Je sais bien, Solange.

Non, tu sais pas.

Alors Nicole est sortie de la cuisine. Elle est allée vers la salle à manger puis elle est revenue sans rien dire, avec entre ses mains la boîte bleu nuit qu'elle tenait sans même oser la regarder. Un silence, le temps que Solange remarque ce que je fixais entre les mains de Nicole. Et c'est Nicole qui a demandé,

Février, tu m'en as déjà parlé de lui ?

Il est venu nous voir une fois, mais une seule fois, il y a longtemps, des années, à la maison. Il parlait de son Limousin à tout bout de champ. Un grand type à lunettes.

Peut-être, c'était il y a longtemps. C'est à cause de lui que vous avez fini –

Oui, moi. Pour Bernard et lui ça a été bien pire.

Et puis ce silence encore. Baisser les yeux, peut-être. Ou sourire. Ou me resservir un verre d'eau.

Fais voir.

Nicole m'a tendu la boîte bleu nuit. Je l'ai ouverte et j'ai regardé la broche. Oui, un beau bijou. Je l'ai sorti de sa boîte sans que personne ne parle plus, les yeux fixant la broche et aussi cette boîte dans laquelle j'ai ensuite remis le bijou, sans rien dire, laissant vibrer au-dessus de nous la blancheur du néon et, derrière, le frigo.

Mais alors Solange a pris la parole, doucement, accompagnant les mots d'un geste, sa main reprenant la boîte et la tenant délicatement, sans l'ouvrir, sans la quitter des yeux pourtant, sans me regarder ou relever les yeux, juste pour demander,

Mais, s'il porte plainte, Saïd ?

Elle a demandé ça sans vraiment le demander, plutôt une réflexion, un état de la crainte qui commençait

106

à naître en elle et qui allait bientôt la submerger, la vaincre, j'en étais sûr déjà. Et même, c'est pour ça que je n'osais pas encore partir, malgré l'envie que j'avais de rentrer chez moi. Et le regard insistant de Nicole. Ce regard demandant aussi d'abréger ce moment parce qu'on savait bien de quoi il serait fait, très vite, comment il allait grossir dès que la nuit serait avancée, plus profonde, plus silencieuse encore sous la neige ; cette nuit qui nous attendrait aussi chez nous et qu'au fond nous préférions reculer encore, le temps d'accepter une tisane, oui, se réchauffer les mains en serrant fort une tasse de tisane, sentir la chaleur et l'odeur douce de verveine ou de menthe.

Vous avez faim peut-être ?

Non.

Je peux sortir des pizzas si vous voulez ?

Non, une tisane, ça ira.

Surtout ne pas être seul, chacun avec ses questions et ses souvenirs, le temps de se faire croire que là, à nous trois, nous allions trouver une solution avec juste des mots quand les mots servaient à peine à couvrir la vibration du néon électrique et le bouillonnement de l'eau dans la casserole, le bruit du frigo, une voiture déjà loin sur l'avenue Mitterrand et des chiens qui aboyaient sur son passage, quand Solange m'a regardé presque méchamment, laissant éclater cette rancœur qui croupissait en elle depuis toujours,

Hein, Rabut ? Rabut ?

Quoi ?

Qu'est-ce qu'il vous a fait, Bernard, pour que vous le détestiez tous comme ça depuis toujours, hein, tu le sais au moins ?

Rien.

Tu le sais pas ?

Mais non, rien.

Est-ce que quelqu'un sait ça, est-ce que quelqu'un est capable de me le dire, pourquoi toi et les autres, tous les autres, non, jamais vous n'avez pu le voir ni le regarder en face ? Ma mère, surtout. La Vieille, ah ça, la Vieille, pire que tout Bernard, pour elle – Rabut, tu te rappelles comment elle le regardait ? Elle n'a jamais pu le voir. Elle a choisi de ne pas l'aimer comme elle a choisi d'aimer tel ou tel autre, comme elle aimait les autres, plus ou moins, avec des différences, des préférences, c'est sûr, mais comme dans toutes les familles, sauf que de son fils, ce qu'elle disait, pis que pendre, comme ça, sans gêne, à le traiter de voleur et de vaurien devant des gens qu'on connaissait à peine. Et même devant lui, à le fixer, le provoquer en attendant qu'il réplique pour lui donner, à elle, le prétexte qu'elle cherchait pour se donner raison.

Solange s'est tue quelques secondes, puis m'a regardé fixement.

Et même papa ne l'aimait pas trop. Même lui, si gentil pourtant, il ne le défendait pas – je, je comprends pas.

Je veux dire, je comprends pas ce qu'il a fait pour que tous vous le preniez comme ça, avec une telle méfiance. C'était pas le pire de mes frères. Loin de là. C'est ça que je comprends pas. C'est juste que très jeune il savait se battre et qu'il aimait se bagarrer, c'est vrai, ça c'est vrai, et faire la morale aux autres aussi, peut-être, peut-être qu'il était grande gueule comme tu dis, mais enfin, c'est tout –

Non, Solange, c'est pas tout. Tu t'en souviens pas de ta sœur ? Et lui en train de se curer les ongles avec la pointe de son canif pendant qu'elle était dans son lit et qu'elle allait mourir ? Tu te souviens pas de ce qu'il disait, là, comme ça, que c'était une salope et que c'était bien fait pour sa gueule et –

Non Rabut, Rabut, arrête ça.

Et Solange se levant d'un mouvement brusque, laissant sans y prêter attention l'eau bouillant dans la casserole, que Nicole est allée éteindre avant de nous servir – Solange glissant vite vers sa chambre, au fond du couloir. J'ai regardé Nicole qui avait la tête penchée sur les tasses qu'elle remplissait d'eau, en regardant l'eau, le fond de la tasse, le sachet qui gonflait dans la tasse et on entendait ce bruit de l'eau qui tombait dans les tasses comme l'eau des fontaines, et la fumée aussi, le bruit du fer quand Nicole a reposé la casserole sur la gazinière, et son soupir, son regard vers la porte et Solange dont on avait entendu qu'après être entrée dans sa chambre et avoir ouvert le buffet, elle s'était mise à chercher et à remuer tout un tas de papiers.

Ce qu'elle a cherché, elle ne l'a pas trouvé. Et elle est revenue vers nous l'air déçu, pas en colère mais blanche et triste aussi, si fatiguée de devoir continuer à parler lorsqu'une lettre aurait tout dit à sa place.

Et lorsqu'elle est revenue c'était en marmonnant,

C'est le seul de tous mes frères, de tous mes frères et sœurs c'est le seul,

Et aussi pour dire,

Combien de fois il a écrit tous les regrets qu'il avait parce que quand il était jeune il croyait les sornettes des curés sur le mariage et tout ça. Il ne savait pas ce que c'est la vie. Il ne savait rien de la vie, il n'avait pas compris, il me l'a écrit, ça, et plus d'une fois. Reine, oui. Pour Reine, il s'en est mordu les doigts d'avoir voulu sa mort et dit des choses méchantes. Et tous ceux qui ne disaient rien et n'en pensaient pas moins. Ceux-là, crois-moi, Rabut, ils dorment mieux que toi et moi parce que pour eux une gamine de dix-sept ans qui meurt comme ça, c'est qu'elle l'a cherché ; et en ce temps-là, c'était, c'était comme ça, voilà, voilà ce qu'ils diront, et je – pourquoi on parle de ça, pourquoi je te parle de ça. Je ne veux pas parler de ça – tout ce vieux temps. À quoi ça sert, ce vieux temps ?

Rabut. À quoi ça sert de parler de ça ? Bernard il est comme il est, c'est le seul à ne m'avoir jamais laissée tomber.

Je sais pas, Solange. Je sais pas pourquoi on parle de ça.

J'ai parlé en baissant les yeux, histoire de trouver un temps de répit et ne pas la forcer encore à le défendre, lui, son frère, quand Nicole pourtant a pris le relais en disant,

Oui, en attendant, ce qu'il a fait, ce qu'il risque.

Et Solange ne répondant pas, pas encore, ne glissant pas un mot et dodelinant un peu, souriant presque. Puis alors elle a souri franchement, son visage enfin lumineux.

Oui, une famille de fous, depuis toujours, vous trouvez pas ? Rabut, tu trouves pas ?

Et ce silence encore, ces mots encore, cette attente encore.

La colère et encore une fois ne pas comprendre. Se dire qu'on est là à attendre dans une cuisine, se dire que dehors il fait froid, nuit, et que loin d'ici, de ce temps aussi, que très loin il y a des raisons, des liens, des réseaux, des choses invisibles qui agissent parmi nous et dont nous ne comprenons rien.

Comme se dire que Feu-de-Bois nous attend déjà, j'imagine, avec son fusil et son litron à côté de lui, sur la table. Oui, sans doute que chez lui, dès qu'il est rentré, il se sera mis à boire et à nous attendre, sachant bien que quelqu'un finira par venir le trouver. Peut-être qu'il attend et qu'il boit. Ou qu'il reste sans rien faire, à regarder le feu dans sa cheminée ou à parler tout seul, à ses chiens, à ruminer encore des désirs de vengeance. Ou, aussi bien, il pense à ses enfants et à sa femme, à ses années passées près de Paris, et il se dit que ses enfants, là-bas, dans la région parisienne, ils ne pensent plus à lui que comme à un mort et que cette idée les protège d'avoir à s'inquiéter pour lui. Ou même qu'ils ont oublié son visage. Qu'ils se souviennent à peine de sa voix et des éclats de colère contre Mireille. On ne sait pas qui ils sont, ce qu'ils font, ses enfants, s'ils viendront un jour ici demander des nouvelles de leur famille ou lui réclamer des comptes.

Parce que nous sommes leur famille, nous autres, même s'ils ne le savent pas, qu'ils ne le veulent pas, et qu'on leur a appris à ne pas vouloir de nous.

Parce que je ne crois pas que Mireille ait pris le risque de même glisser un mot sur nous.

Dans la voiture, après, lorsque nous sommes rentrés, le seul moment où nous avons parlé, Nicole et moi, c'est lorsque je me suis emporté contre Solange, à cause de cette pensée que j'ai eue, cette idée : attends, elle est allée chercher des lettres, des lettres qu'il lui a écrites, depuis des années.

Pendant des années il a écrit à Solange.

Et quand il est revenu, je veux dire, quand il est revenu, quinze ans après tout le monde, ça a été comme si pour lui la guerre venait juste de se terminer. Parce que je me souviens aussi de comment les uns après les autres on est revenus. Et aussi de comment, très vite, tous, nous nous sommes remis à travailler pour ne plus y penser, et seulement reprendre la vie avec une drôle de frénésie, tellement on était contents d'en finir avec les régions pourries, la chaleur, la soif, la poussière, la lessive improvisée dans le fond du casque, une vieille brosse à dents pour décrasser les cols de chemise et les trous dans les socquettes et les doigts de pieds en sang, ce monde pourri, et enfin on allait de l'avant, on voulait rattraper le temps perdu, tellement on avait perdu notre temps là-bas, et aussi, ce qui nous a aidés, ce qui m'a aidé, moi, je le sais, maintenant je le sais, ça a été d'apprendre un jour que lui, il ne reviendrait pas chez nous.

Un simple télégramme envoyé à ses parents pour dire : je ne reviens pas.

Et ça m'avait aidé, c'est vrai, de fixer toute mon attention sur lui et sur ce que chacun pouvait dire de lui, parce qu'on savait qu'il avait rencontré là-bas la fille d'un colon très riche, et qu'il voulait l'épouser. Et on l'imaginait dans les beaux quartiers de Paris, devenu riche, ignorant jusqu'au souvenir de nos noms quand personne ne s'était vraiment avisé que le père de Mireille n'adressait plus la parole à sa fille, ni qu'avec la fin des colonies, c'était aussi la fin de la dot.

Mais moi je m'étais accroché à ça et aux quelques cadeaux que j'avais faits à mes parents, à mes sœurs, des roses des sables, un service à *caoua* et puis une croix d'Agadès pour Nicole. Ça oui, on en avait sur les bras des cadeaux, de l'exotisme, de l'ailleurs, des cartes postales et des étoiles dans les yeux quand on se disait seulement, pourvu qu'on n'entende plus les vieux bougonner que, quand même,

C'était pas Verdun, votre affaire.

Et aussi les questions de plus en plus cons auxquelles personne n'a jamais voulu répondre, des questions sur la météo et sur l'agriculture, et les femmes,

Elles sont comment les femmes, sous les voiles ?

Les blagues foireuses qui me révoltaient,

C'est vrai qu'elles se rasent la chatte, les musulmanes ?

Des choses comme ça.

Et le désert, est-ce que tu as vu le désert, les chameaux, c'est grand comment un chameau ?

Etc.

Alors, parler de lui, de Feu-de-Bois, Bernard, c'était déjà ça pour ne pas avoir à parler du tout.

Le reste, on l'avait su par Solange : le mariage dans la région parisienne, son installation là-bas.

Puis il avait fallu attendre quelques années – je ne sais pas combien exactement, moins de dix en tout cas, peut-être sept ou huit ans –, pour avoir des nouvelles de Février. Février qui s'était décidé pour une tournée des popotes. Il avait voulu dire bonjour aux copains, ceux dont il se souvenait et avec qui il avait gardé contact, c'est-à-dire peu de monde. Et quand il était venu passer deux jours à la maison, il m'avait raconté comment il les avait vus tous les deux, chez eux, Bernard et Mireille.

Oui, c'est Février qui me l'avait dit, lorsqu'il était venu jusqu'ici me rendre visite, avec ce besoin qu'il avait eu de venir voir les vieux copains pour terminer quelque chose, avait-il raconté, qui lui restait sur le cœur.

Et alors, bon Dieu, tout ce qu'il m'avait raconté, Février, que je n'aurais pas imaginé.

Mais dans la voiture, la colère contre Solange : toujours elle restait évasive, hochant vaguement la tête pour dire, pendant toutes ces années, qu'elle savait qu'il travaillait à l'usine, chez Renault, qu'il avait eu deux enfants, qu'il habitait dans une HLM, que ni lui ni sa femme ne parlaient plus à leur famille et qu'ils n'avaient pas d'amis, que c'était parfois dur, mais que ça allait.

Sauf que ça ne devait pas aller tant que ça, bien sûr, et qu'il n'en avait rien dit à Solange. Puisqu'elle aussi avait été surprise de le voir rappliquer un jour, sans rien expliquer.

Et on a cherché à comprendre, tous.

Moi, j'avais repensé à Février racontant des choses insensées sur Mireille, comment Mireille dans une HLM ce n'était plus du tout la jeune fille arrogante et sûre d'elle qu'on avait connue à Oran, sifflant ses orangeades et les chansons de Sacha Distel ou de Dario Moreno en attendant sur un tabouret et en se vernissant les ongles, ou en mordillant les branches de ses grosses lunettes de soleil vertes.

Non, c'est plus ça du tout m'avait expliqué Février lorsqu'il était venu me voir et que tard, le soir, quand on s'était retrouvés tous les deux et qu'on avait eu un coup dans le nez à force de siroter des ballons de rouge, suffisamment pour trahir les petits serments qu'on s'était faits à soi-même de ne rien dire de ce que c'était là-bas, il avait fini par parler de Bernard et Mireille – et raconter aussi tout ce que j'ignorais, moi, comment il les avait trouvés dans la région parisienne, nos deux tourtereaux d'Oran, pas si beaux, pas si jeunes, déjà fatigués et tristes, se renvoyant des œillades (plutôt coups d'œils assassins) et des mots plus bas que terre pour s'accuser de tout, avait dit Février, tu les aurais vus, surtout elle, aigrie, amère, enceinte du deuxième enfant.

Déjà c'était une autre femme que la jeune tête à claques séduisante qu'on a tous enviée à Bernard : hein, Rabut, toi aussi tu l'as envié, le cousin.

Fais attention comment tu roules, tu mords la chaussée. Tu vas trop vite, fais attention.

Oui, ça va, ça va.

J'ai ralenti un peu. Nicole avait parlé fort, sa voix soudain apeurée parce qu'elle avait senti que la voiture s'était déportée sur la droite et qu'elle allait trop vite. Elle avait mis la main sur le volant pour le redresser.

Ça va, j'ai dit.

Et puis, devant nous, il y avait le pinceau des phares et personne, pas une voiture dans la nuit. Seulement sur le côté des maisons de plus en plus rares et espacées les unes des autres. Et puis quelques ronds-points et surtout la neige qui tombait en petits flocons minces et furieux, comme des particules de poussière ou une nuée de moucherons en été sous un lampadaire, dans tous les sens, à cause du vent. Et puis le bruit du moteur et nos deux respirations dans la voiture. Le silence parce qu'enfin on avait renoncé à parler, Nicole regardant sur sa droite, peut-être son reflet, la nuit, la neige, les bras croisés quand moi je regardais droit devant et que j'imaginais alors ce qui arriverait dès demain matin, lorsqu'il faudrait retrouver Solange et les gendarmes sur la place de l'église pour aller chez Bernard : ce que nous dirions, ce que nous ferions, tous, ensemble, dans le froid, avant d'aller jusque chez lui.

Et je voyais déjà comment nous serions en avance, Solange et moi.

Et peut-être même elle m'aura appelé avant, pour me demander si la présence des gendarmes était bien nécessaire. Si à nous deux. Ou même si. Si à elle seule. Si à elle seule elle ne pourrait pas obtenir de lui – quoi, elle ne saura pas. Et alors, il y aura des silences au téléphone. J'entendrai à travers sa voix, tressautant dans la gorge, les doutes, les hésitations et la fatigue aussi de la nuit trop courte, contre laquelle elle aussi aura dû batailler, et restant complètement effarée au matin, essayant en buvant café sur café de reprendre ses esprits. Elle voudra croire que la nuit porte conseil et que le conseil aura été le même pour tous : ne rien faire, les gendarmes abandonnant tout, Chefraoui oubliant tout et même Bernard venant de lui-même s'excuser.

Voilà ce qu'elle voudra croire, qu'elle essaiera, qu'elle feindra de croire possible.

Et, en roulant, je revoyais Solange nous accompagnant jusqu'à la porte, comme elle était restée dehors sur le palier quand on lui disait de rentrer parce qu'il faisait froid. Elle était restée à nous regarder rejoindre la voiture devant la maison.

On l'avait vue avec la lumière jaune auréolant son corps sous l'ampoule et la véranda, son châle sur les épaules et les bras serrés contre sa poitrine, elle qui nous regardait et sans doute ne nous voyait même pas, déjà loin dans ses pensées, ses craintes, son attente, et qu'on aura laissée seule avec cette nuit trop vaste devant elle, lorsqu'elle s'est résignée à rentrer et à éteindre la lumière de dehors, puis à verrouiller sa porte.

Dans la voiture, je me disais, qu'est-ce qu'elle va faire maintenant, Solange, est-ce qu'elle va retrouver sur la table de la cuisine la petite boîte bleu nuit et qu'elle va la chasser, la balayer d'un revers de main ou seulement du regard, ou même ne pas y toucher ? Ou, au contraire, comme ces obus qu'on retrouve des vieilles guerres et qu'il faut désamorcer, la prendre avec précaution et la remettre dans la salle à manger à moins que, simplement, elle l'ignore et se rende dans la salle de bains pour enfiler une chemise de nuit et une robe de chambre, écouter sa fatigue et s'y abandonner, ou, pourquoi pas, dans le salon, allumer la télévision sans même se demander ce qu'il peut y avoir comme programme un samedi soir, et regarder des images sans les comprendre ni les voir.

Parce qu'il faudra se coucher et ne pas se laisser envahir complètement par quelques idées, combien d'idées à la minute, combien de pensées nouvelles ?

Peut-être aucune.

Mais la rage raidissant le corps au moment où celui-ci va consentir au sommeil, quand à travers les images de la journée reviendront d'autres images, d'autres phrases, des mots qu'elle essaiera d'imaginer ; son frère, l'escalier du sous-sol, la femme de Chefraoui se débattant contre lui, criant, se défendant.

Et puis elle fermera les yeux pour ne plus voir, et elle verra toujours plus. Elle remontera le drap et les couvertures pour ne plus entendre les voix de la Chouette et de Jean-Jacques, et, au contraire, elle les entendra plus clairement encore, jusqu'à la douleur, quand elle finira par renoncer et rallumer la lampe de chevet qu'elle avait cru un moment pouvoir éteindre, comme si elle n'avait pas cru à l'insomnie à venir.

Puis elle va s'asseoir dans son lit, un moment. Attendant que le sommeil vienne.

Et il ne viendra pas.

Parce qu'en soupirant elle s'entendra prétendre qu'il n'avait pas toujours été violent, Bernard. Elle s'entendra mentir, s'arranger avec elle-même, et d'autres voix lui murmurer qu'elle triche.

Alors dans son lit elle regardera devant elle, elle attendra, puis enfin il sera si tard qu'elle croira sa peine bientôt finie et le temps proche de trouver le sommeil. Elle éteindra, elle se couchera, arrangera l'oreiller et peut-être, avant ça, boira-t-elle un verre d'eau. Dans sa poitrine il y aura alors comme un bond, encore, un sursaut de révolte pour dire l'injustice dont elle pensait Bernard victime depuis toujours, de la malchance, quelle malchance, Solange, voilà ce à quoi je penserai encore, moi, lorsque la voiture se sera arrêtée devant chez nous.

Alors, sûr que, comme moi, Solange ne dormira pas bien.

Elle entendra sa voix à lui, Bernard. Elle l'entendra comme moi je l'entends, comme on peut l'entendre et le voir en 1960, arrivant en civil au centre de recrutement de Marseille, au petit matin, après une nuit passée à ruminer sa rancœur. On peut l'imaginer s'étonnant que le train soit très lent, qu'on ne soit pas prioritaires pour aller là où l'on va. Ça l'agacera vaguement, il n'aime pas la lenteur.

La nuit viendra, elle vient, même si ça ne l'intéresse pas beaucoup, la nuit, ni le train ni la convocation militaire qu'il a chiffonnée et qui doit croupir au fond d'une de ses poches – une corvée de plus, ce qui lui arrive là n'est qu'une corvée de plus, voilà ce qu'il se sera dit pour ne pas avoir à y penser davantage, puisqu'il veut être entier dans sa colère et son ressassement.

Et pour ça il cherche à s'isoler, pour répéter les mêmes mots, tourner autour de l'argent qu'elle va dépenser, sa mère, sans aucune gêne elle a volé l'argent, pensera-t-il, elle dépensera mon argent sans me demander, sans rien dire, avec les sous que j'ai gagnés, moi – ce pactole avec lequel il a cru pouvoir fausser compagnie à sa famille et trouver un travail de mécano, ou n'importe quoi, pourvu que ce soit ailleurs.

Dans le train, il est assis bien sagement on dirait, sans expression particulière, avec dans sa valise en bois quelques vêtements, un missel, trois fois rien mais à quoi il tient, avec son pantalon bien repassé, ses souliers trop étroits et encore presque neufs. Il a dénoué les lacets, écarté la languette, il a sorti le talon de la chaussure mais n'a pas osé retirer son pied complètement. Il est bien rasé et il a la peau lisse et blanche des jours d'hiver ou de ceux qui se rasent rarement. Il mâche l'un des chewing-gums qu'il a achetés avant de partir. Il en a un paquet dans sa poche, avec les cigarettes.

Mais il mâche et remâche d'abord la colère qu'il éprouve contre sa mère et le sentiment d'avoir été berné lorsqu'il est resté avec ses sous, son chèque, pas de compte en banque, et elle pour l'encaisser.

Voilà. Il est mineur. Il est encore mineur.

Il aurait dû prévoir le coup et s'arranger avec quelqu'un d'autre. Il s'est laissé prendre de vitesse, au dépourvu, il repasse l'image de sa mère prenant la parole pour qu'on fasse le chèque à son nom à elle, puisqu'elle a le compte de la famille. Bernard n'a pas encore de compte, il en aura un lorsqu'il sera majeur et qu'il travaillera vraiment et pas comme il fait, d'aider à la ferme ou de donner des coups de main chez les voisins. Mais c'est elle qui tient l'argent. Elle que l'on paye lorsqu'il fait un travail chez les voisins ; il ne paie pas de loyer chez elle ; il ne paie pas sa nourriture chez elle ; il ne lave pas son linge non plus ; il est normal que ce soit elle qu'on paie pour son travail à lui. Quand il sera majeur, ce sera différent.

121

En attendant le chèque sera à son nom à elle.

Elle lui a donné des sous dans une enveloppe, ça t'aidera, lui dit-elle. Et on lui enverra tous les mois un peu d'argent, parce qu'on sait bien qu'une solde de soldat, c'est peu.

Et lui qui repense à ça. La garce, elle va tout dépenser, elle va commencer par acheter deux bêtes comme elle se mord les doigts de ne pas pouvoir le faire depuis des mois, ce manque à gagner, les dépenses pour le lait, alors elle va pouvoir remplacer les deux autres et encore il faudra que je dise merci pour les miettes qu'elle m'enverra tous les mois, se dit-il.

Voilà, n'avoir rien dit. Il se reproche de n'avoir rien dit et de s'être comporté comme un blanc-bec, de s'être laissé avoir par l'enveloppe et déstabilisé par un geste inattendu de sa part à elle, lorsqu'il a reçu de l'argent pour arrondir la solde. Ce que c'est qu'être mineur, dépendant des parents, pas bon à voter mais déjà bon pour les djebels.

Les djebels, pour ce qu'il en sait. Juste un mot qu'il a entendu un dimanche, sur le marché.

Et là, il part dans un train trop lent où des jeunes hommes comme lui s'entassent, en ricanant ou sans un mot. Il les regarde avec méfiance. Il n'a pas l'intention de parler à qui que ce soit, et certainement pas de répondre à ce jeune gars qui lui demande s'il a des infos sur ce qui se passe là-bas, s'il sait ce qui est vrai ou non – est-ce qu'on se fait trancher la gorge aussi facilement que ça ou est-ce que c'est vraiment des racontars pour faire peur à la bleusaille ?

Il dit qu'il n'en sait rien, mais ne rajoute pas qu'avant toute chose, il s'en fout.

Il ne se sent pas concerné. Il fait peut-être une grimace qui ne veut rien dire. Il a l'esprit ailleurs – ce qu'elle fera de ses sous, il n'en doute pas, elle va les dépenser, la garce, il a bien vu que cette fois elle a compris combien elle peut lui faire mal.

Et toute la nuit, dans les soubresauts du train, il ne fait que ruminer une vengeance qui viendra, tôt ou tard, et il récupérera son argent, il se le promet, se promet d'y penser chaque jour, je ne faiblirai pas, se dit-il. Et il pense que les mois devant lui n'entameront pas sa détermination : il fera ses mois et il reviendra, c'est tout.

Et lorsque le train s'arrête le matin, ce n'est pas Marseille, c'est une petite gare. Du mouvement, tout ce mouvement, il a du mal à comprendre. Comme s'il était étranger dans un pays dont la langue lui serait aussi inconnue que les coutumes. Il ne dort pas, mais il n'est pas non plus éveillé. Il entend le chahut des portes qui s'ouvrent, l'éclat métallique du fer, et puis les pas, les voix de ceux qui rient et ont déjà fait connaissance, se diront amis avant de s'oublier très vite, quelque part dans un pays dont ils n'ont pas idée.

Et lui, il suit le mouvement, mais lentement, tâtant dans sa poche pour voir s'il a toujours son paquet de cigarettes et ses chewing-gums. Il vérifie sa valise, on ne sait pas, il a sans doute dormi, d'ailleurs il se sent pâteux, cotonneux, il perçoit le monde comme lorsqu'on a de la fièvre et que tout ressemble à l'engourdissement d'un premier sommeil, ou du rêve, presque.

Le wagon était rempli de gars comme lui, l'air effaré des plus jeunes, ou des plus maigres, avec leurs têtes pâles et seulement colorées sur les joues par des boutons d'acné. Ils pensaient tous qu'ils verraient Marseille, le soleil, déjà la mer. Une image de carte postale, un port noyé dans le soleil et les reflets brillant dans l'eau comme du papier d'aluminium.

Mais on est arrivés dans une gare qui n'est pas Marseille, une gare trop petite. Et il fait trop nuit encore, on ne voit pas grand-chose si ce n'est, dans le petit matin, les silhouettes massives et noires des camions dans lesquels on va être embarqués, très vite, comme en cachette – et les camions bâchés rouleront pendant que personne ne parlera vraiment, impressionnés, tous.

Et même lui, à ce moment-là, ne pensera plus à sa mère ni à ce qu'il aurait pu faire de son argent s'il n'y avait pas eu cette convocation.

C'est le matin très tôt et il a faim. Mais au lieu d'un café et d'un repas, il reçoit comme les autres une plaque de métal. Il comprend, on lui a raconté déjà ce dont il s'agit,

Un soldat, ça y est, tu es un soldat, presque, pas tout à fait : tu as encore un nom mais bientôt tu ne seras plus que le numéro sur ta plaque autour du cou, sur le métal qui brûlera ta peau, parfois, lors des après-midi trop chauds, ou au contraire sera trop froid ; la plaque

que tu n'oublieras pas, ton premier cadeau de l'armée. Sur le métal deux numéros séparés par des trous en pointillé. Et si tu meurs, soldat, un morceau sera découpé par celui de tes copains qui aura eu plus de chance que toi, et un gendarme le portera avec tout ce qui restera de toi à la famille.

Alors il regarde ça avec une drôle d'impression, et il se dit que la loterie il a déjà essayé, ça ne lui plaît pas de recommencer, même s'il ne comprend pas ce qui va arriver bientôt, parce que, au-dessus de sa tête, le ciel est bleu, l'air est doux. Il se dit que chez lui le ciel doit être gris comme la poussière, comme toujours, comme souvent, comme l'eau dans laquelle il doit jeter son plateau de cantine. Là-bas le ciel est gris, et l'on y mange moins bien qu'ici. Mais il n'a pas confiance dans ces baraquements qu'on lui impose, ici, cet univers de camp, des baraques alignées les unes après les autres, sinistres, tout est sinistre sous le ciel bleu, ce qu'il n'aurait jamais cru : il ne suffit pas du ciel bleu, de ce self-service énorme où il a enfin mangé convenablement mais seul, s'isolant des uns et des autres, des petits groupes qui se forment et où déjà certains commencent à chercher des histoires, à se vanter, à parler.

Et il entend ce qu'on raconte, ce que disent les vieux dans les villages et qu'on répète ici pour se donner du courage,

Oui, bon, c'est pas Verdun,

C'est long vingt-huit mois mais c'est pas Verdun, sûr, et il paraît qu'il y a des bordels.

On rigole, on glousse, on chasse la peur en prétendant que ce n'est rien.

Et lui se contente de manger et de penser, vingt-huit mois, tenir vingt-huit mois et chaque jour, chaque heure et chaque minute il faudra penser à exiger de récupérer chacun de ses sous, pièce après pièce, quand elle fera tout pour dire qu'elle ne lui doit rien, bien sûr, c'est ce qu'elle voudra, abuser de la situation et profiter de lui quand chaque jour devra être là pour le rappeler à l'obligation de ne pas faiblir, de ne pas lâcher, trop facile, pour elle, pour eux tous, là-bas, de profiter de lui pendant qu'il ira faire Dieu sait quoi avec Dieu sait qui, Dieu sait où.

Mais Dieu n'a rien à voir là-dedans.

Dieu peut l'aider, un peu, lorsqu'il trouvera le temps d'ouvrir sa valise et de saisir son missel à la tranche non pas vert chou mais rafistolée avec du vieux chatterton marron, et le glisser dans sa poche, le tenir serré contre lui et parfois lire un peu, deux ou trois mots, des psaumes dont il connaît chaque passage par cœur, mais qu'il préfère lire pour fixer ses yeux loin de ce qui l'entoure, le vacarme des appels crachés des haut-parleurs, les ricanements, jérémiades, engueulades, et ces affreux lits superposés où grouillent des punaises, des puces, des morpions aussi et parfois certains gueulent parce qu'ils entendent le couinement des rats, ça pue l'urine et le moisi.

L'hygiène laisse à désirer et le soir semble s'étendre toute la nuit. Le sommeil ne vient pas, on reste accroché à sa valise, la précieuse valise avec ses photos et ses bibelots, ses souvenirs comme des reliques arrachées au monde d'où l'on vient et censées incarner un quotidien devenu lointain déjà, en quelques heures seulement, parce qu'on aura vu des choses étranges, comme ces hommes qui reviennent de là-bas, pour quelques jours, les sacs pleins d'étrangetés, de cadeaux, on dit qu'ils ont de l'argent aussi et ceux-là sont prudents et sourcilleux même, dès qu'on s'approche trop près de leurs provisions. Mais lui n'a pas l'intention de s'approcher ; il veut lui aussi qu'on le laisse tranquille. D'ailleurs, lui aussi est inquiet pour sa valise, qu'il rechigne à laisser seule sous la couverture de son lit miteux.

Et lorsqu'on lui demande sa feuille de route – c'est un gradé qui donne l'ordre –, il hésite, se dit qu'il ne sait pas de quel grade il s'agit, ni comment on les reconnaît ni quelle est sa place à lui – forcément la plus basse –, il pense que l'homme a un accent marseillais parce que nous sommes proches de Marseille. Et quand l'homme exige une nouvelle fois sa feuille de route, il devient livide. Il ne sait plus où elle est. Alors il faut courir pour retrouver la valise. Aller jusqu'à la chambrée, être saisi en entrant par la puanteur si forte, nauséeuse, de la transpiration. Et le silence aussi, soudain, ce silence dont il aurait besoin la nuit et qui se dissipera au fur et à mesure que les hommes empliront la chambrée. Et en allant vers son lit il s'inquiète de retrouver sa valise, ses affaires, si on les lui avait volées, que deviendrait-il, de quoi serait-il puni, sans papiers, sans rien pour prouver son identité, sans pouvoir satisfaire le gradé qui attend. Et lorsqu'il revient en courant vers le gradé, celui-ci regarde à peine le papier qu'il lui tend. On lui donne l'ordre de rejoindre les deux gars qui repeignent en blanc les bordures de trottoirs. Il faut que ce soit blanc. Toujours blanc, jusqu'à ce que d'autres prennent la relève.

Alors sans réfléchir il obéit. Il y trouve même un certain réconfort. L'idiotie de la tâche, l'obstination qu'il faut et qu'il trouve en lui de se fixer une tâche, même absurde, même à renouveler toutes les heures parce que toutes les heures des empreintes de rangers dessinent leurs marques, comme des traces de pneus, sur les bordures fraîchement repeintes et à peine sèches.

Et il faut recommencer, ce n'est pas grave, repeindre d'un coup de blanc, et alors, avec les deux autres gars qui eux aussi sont de corvée, on se promène toute la journée un seau de peinture à la main et les yeux fixés sur les bordures des trottoirs, tout le camp comme ça, et le camp est très grand, les bordures viennent et reviennent, font des arabesques que lui regarde jusqu'à s'y noyer, ne plus voir autour de lui l'agitation du camp.

C'est seulement lorsque l'un des deux appelés parle du gradé qui les a consignés à cette corvée que Bernard redresse la tête. Il se sent honteux et ridicule, et peut-être même il rougit de son ignorance lorsqu'il entend l'autre se moquer de l'accent du gradé, parce que l'accent alsacien est vraiment épouvantable. Et il sourit avec les deux autres, ne dit rien sur l'accent, alsacien, donc, cet accent, et très loin de Marseille. Ça, quand même, combien l'Alsace est loin de Marseille, il se souvient l'avoir appris à l'école, il y a longtemps.

Dans une autre vie.

Il tient son pinceau, se penche et continue toute la journée à repeindre les traces de pas et les zébrures noires de la gomme des chaussures. Il lève les yeux de temps à autre, il se dit qu'il vaut mieux être occupé avec son pinceau et sa peinture blanche plutôt que tenter d'échapper aux corvées et aux gradés. Ça durera ce que ça durera. C'est déjà ça, le temps de passer la journée, puis une autre encore, attendant la soirée et l'autre, encore une autre, avant de partir, le quatrième soir.

Comme s'il fallait quitter la France en catimini et se retrouver une fois encore la valise à la main et avec en plus le boudin kaki à l'épaule, prêt à embarquer et se retrouver de nuit, par un soir clair et pourtant froid, sur les quais.

Voilà, il est là, sur les quais de la Joliette. On a écrit à la craie le numéro de son régiment sur son casque. Il est fatigué, il n'a pas dormi. Il espère dormir et pourtant il faut encore supporter cette fatigue et l'agitation autour de lui, dans son unité, toutes les unités qui vont embarquer ce soir et que quelques badauds seulement viennent voir de loin, jetant à peine quelques au revoir, sans plus, comme de la mie de pain aux poissons et aux oiseaux du port.

Et cette fois, se dire qu'il va voir la mer, même de nuit. Tant pis si c'est de nuit. Il va voir la mer et il pense aux premiers mots qu'il écrira à Solange. Il se dit qu'il parlera de la taille du bateau, un bateau tellement grand, dira-t-il, qu'on ne serait pas loin d'y mettre tous les habitants de La Bassée. Pourtant il ne parlera pas des regards autour de lui, de l'étrange silence qui s'engouffre dans les regards et, sur le bateau, avec eux, avec l'air froid qui cingle, la présence de la peur.

Mais il pourra parler des mouettes, des remorqueurs qui s'agitent autour, comme des mouches avec les chevaux et les vaches en été ; et il ne parlera pas de cette crispation, cette panique, soudain, dans les regards, les corps tendus, les gestes plus lents, souffles retenus, quand, plus fort que les voix et les cris des quelques hommes sur les quais et plus fort aussi que ceux des mouettes, ces quelques mouettes qui planent au-dessus de leurs têtes comme les petits avions de guerre qu'il a vus une fois aux actualités, au cinéma, plus fort encore, oui, jusque dans la gorge, dans la tête, impossible de le dire, encore plus de l'écrire, pensera-t-il, ni à Solange ni à personne, quand sous ses pas quelque chose ressemble à un tremblement, un mouvement, des voix et le vent, et les mouettes, il perçoit un coup plus long et plus fort il lui semble, jusqu'au fond de son être, jusqu'à en avoir les mains moites et pour une fois croiser le regard livide d'un autre appelé qui, comme lui, comme eux, sait que dès cet instant toute sa vie sera perforée de ce coup de sirène qui annonce le départ.

NUIT

Ce qui arrive – la vitesse d'abord avec laquelle les soldats défoncent les portes et armes au poing entrent dans les maisons, si basses, si sombres, le temps pour les yeux de s'habituer et de ne trouver au fond des pièces que quelques femmes et des vieillards, parfois des enfants.

Pas un homme valide.

Les soldats envahissent le village et courent en criant, ils crient pour se donner du courage, pour faire peur, comme des râles, des souffles, alors les vieilles lâchent les paniers qu'elles sont en train de tresser et regardent les jeunes hommes et s'étonnent de ce qu'avec des armes dans les mains on dirait que ce sont eux qui ont peur. Ils sont en colère, ils crient,

Dehors !

Dehors !

Et dans les maisons ils agrippent les gens par les bras, tirent les vêtements,

Sortez ! Dehors !

Et les femmes posent les paniers. Elles se lèvent. Elles laissent les métiers à tisser, elles sortent, les vieux sortent, ils ne savent pas pourquoi et leur lenteur s'accorde mal à l'obéissance, aux mains levées à plat

133

sur les têtes et les pointes des fusils mitrailleurs qui les poussent vers le centre du village.

Les enfants avancent eux aussi et lèvent les yeux vers les soldats, leurs visages font des grimaces, ils se retiennent, la peur les retient de pleurer.

Des enfants crient devant la porte d'une maison. Ils restent immobiles, deux petits, debout, ils crient jusqu'à ce qu'une femme vienne les chercher et les emmener avec elle s'asseoir sur la place, serrés, tous, les voisins, les amis, les autres, la famille, tous, pourvu qu'ils soient femmes, vieux, enfants, tous blottis les uns contre les autres à hauteur des jambes des soldats, avec la pointe des canons qui danse devant leurs yeux et la poussière étouffante et chaude, épaisse, blanche et qui brouille les yeux et les odeurs et donne un goût sec et farineux dans la bouche.

Des poules traversent la place en caquetant et s'agitent dans la poussière et des chiens aboient, on entend des chèvres, et les portes qu'on fracasse, des cris de femmes, quelques femmes enfermées ou cachées, des femmes jeunes avec des couleurs vives, les tissus rouge, bleu, jaune, elles résistent, il faut les pousser, qu'on les pousse avec les pointes des armes et il faut qu'on gueule,

Putain, avance !

Qu'on les ramène alors sur la place,

Allez !

Plus violemment que les vieux parce qu'elles savent quelque chose, elles savent où sont les hommes.

Où ils sont, les hommes ?

Personne ne trouve les hommes.

Les vieux ne parlent pas plus et restent muets – seules les bouches édentées vibrent et clapotent et crachouillent quelque chose, ou tremblent comme les doigts accrochés sur les cannes auxquelles ils se retiennent. Sinon le regard ne dit rien, rien, pas même l'étonnement. Pas même la colère, rien. Un calme, une résignation, rien, la patience, peut-être. Certains parmi eux ont vu les corps après les bombardements au napalm – les petits tas noirs des corps carbonisés et des membres intacts, d'autres ont eu le sexe fendu par la gégène, ils ont échappé à la mort par miracle, ils ont vu des soldats tuer des hommes à coups de pierre et des filles de douze ans s'abandonner à eux sans pleurer ; alors maintenant ils n'ont pas peur et ils attendent, ils ont la patience pour eux.

Le lieutenant parle avec Abdelmalik, l'un des deux harkis. Maintenant il gueule de toutes ses forces contre ces salopes qui ne veulent pas parler, qu'on va faire parler, il faudra bien qu'elles parlent, elles ou les vieux,

Eh merde, qu'elles parlent,

Et pendant qu'il crie et crache et d'un revers de manche éponge son front, on continue à fouiller les maisons et à forcer les caches, les portes, encore, quel-ques-unes, des maisons un peu en retrait, et de l'inté-rieur on entend qu'on brise, renverse, des poules s'enfuient, des chèvres détalent, on se dit que dans les jarres qu'on éventre il y aura des armes et on ne trouve que du blé qui se répand sur le sol comme de la poudre ou du sable entre les doigts dans des nuages de poussière jaune.

Février veut entrer dans l'une des dernières maisons et la porte ne s'ouvre pas. Elle résiste. À trois ou quatre on va finir par la faire céder. Et dedans il y a une femme et un vieil aveugle qui sursaute lorsque la porte cède et laisse entrer des flots de lumière et les soldats qui tout de suite imaginent que le vieux est aveugle parce qu'il est le seul à ne pas tourner le visage vers eux.

Mais ce n'est pas vers lui qu'on approche. Ni vers la femme, qui est peut-être la fille de l'aveugle, mais vers les deux enfants, presque plus des enfants, une fille et un garçon, quatorze ou quinze ans, pas encore l'âge d'un fellouze,

Qu'est-ce qu'on en sait que c'est pas un fell, qu'est-ce qu'on en sait, les gars, ce que c'est ?

Qu'est-ce que t'es ?

Dis-le, ce que t'es.

On t'a posé une question.

Tu parles pas français ? Non, tu comprends pas ?

L'adolescent ne dit rien, il recule légèrement, un pas, à peine, et il regarde les soldats les uns après les autres. Il fait un signe pour dire qu'il ne comprend pas, il lève les bras et veut les mettre sur la tête, puis se ravise, les rabaisse le long de son corps, puis, en arabe, il dit des mots que personne ne comprend. On sent, on devine ce qu'il veut dire. Il doit dire qu'il ne comprend pas et qu'il ne sait pas ce qu'on lui demande, alors que ses yeux disent seulement qu'il est terrorisé – et la peur, il va essayer de la calmer en regardant sa

136

mère et sa sœur, en regardant le vieux. Personne ne semble comprendre ce qu'il dit.

Où tu caches des armes ?

Où tu caches des armes, dis-le.

La première fois qu'on le frappe il ne bronche pas, à peine s'il sursaute, s'il cligne les yeux. Sa voix tremble, c'est tout, pour dire qu'il ne comprend pas ou qu'il ne cache rien, ou quoi, d'autres mots, impossibles à déchiffrer.

Les armes ?

Où elles sont, dis-le.

Il les regarde et ne répond pas.

Où est-ce qu'ils se planquent ?

Non, il fait signe que non.

Où ça, tu le sais.

Dis-le.

Il agite la tête pour dire non.

Les fells, t'en sais rien ?

Ils sont deux soldats très près de lui et lui lancent des petites claques du bout des doigts, sur le crâne, derrière la tête, dans la nuque.

Les armes, où elles sont ?

Il ferme les yeux, les yeux clignent. On entend le bruit sec des claques. Le garçon reste droit. Il retient sa respiration. On entend les claques, de plus en plus fortes, sur les joues, sur les yeux, sur le front, il fronce les sourcils, on voit le tressaillement des muscles des mâchoires et il retient son souffle, il fait le geste de ne pas savoir, il dit non d'un mouvement sec, nerveux, comme un spasme. Il recule d'un pas. Il écarte les mains et met les bras en l'air. On le

137

fouille et on ne trouve rien sous les vêtements que le tremblement de tout son corps et la sueur froide dans la nuque qui la tient rigide, et dès qu'on ne le frappe plus il a les yeux grands ouverts et son souffle soulève sa poitrine et il respire très fort, par le nez, la bouche entrouverte.

Dehors on entend – on écoute – encore des portes qu'on force à coups de pied. On entend les jarres jetées à terre qui se fracassent contre le sol. Et des enfants, des bébés qui pleurent. Et des chiens qui aboient. Puis un coup de feu. On sursaute. Des chèvres. Un chien, quelqu'un a abattu un chien. Et on fouille l'adolescent. Puis les autres. Puis quelqu'un tâte la djellaba de la fille. Puis la fille regarde sa mère alors que ses cheveux s'échappent du foulard que le soldat fait glisser, ses cheveux, ils se dénouent et tombent sur ses épaules. Puis elle ouvre la bouche comme pour dire la surprise. Elle ferme les poings. Puis le soldat s'attarde en fouillant, en tâtant les seins, longuement, et Mouret et Février regardent ça sans rien dire. Puis Février approche de la fille, l'autre soldat se pousse, Février touche la djellaba et s'arrête lorsque la fille pousse un léger cri, presque rien, avant de se réfugier dans le silence, là où sa colère doit se tenir à l'écart – elle sait et se répète qu'il faut garder son sang-froid, surtout qu'elle n'éclate pas, sa colère, qu'elle ne hurle pas, elle, il ne faut pas qu'elle hurle, qu'elle les insulte, il faut attendre, il faut se taire.

Mouret regarde Février et fait signe de laisser tomber.

Février se détourne et revient vers le garçon,

Tu ne veux rien dire ?

Tu ne veux pas parler ? On va t'obliger à parler, tu sais qu'on peut t'obliger, tu le sais ?

Il approche, il hésite. Il regarde le garçon dans les yeux puis crache à côté de lui. Il regarde le garçon une nouvelle fois, comme s'il voulait lui dire quelque chose, ou le comprendre, ou sonder son silence, sa peur, et saisir quelque chose, y lire des aveux, des secrets ; et il regarde le vieux et la femme, mais, là, il ne voit que des peaux fripées et burinées et chez l'homme un regard aussi mort que la jeunesse.

Alors Février a presque peur et son regard enfin s'arrête sur la jeune fille. D'une main elle retient le haut de sa djellaba, de l'autre elle essaie de retenir ses cheveux. Elle ne fixe pas le regard de Février ni celui des autres. On oblige le garçon à mettre ses deux mains à plat sur son crâne. Il pleure, en silence, simplement les larmes embuent ses yeux et coulent sur les joues. Il n'y a aucune révolte ni colère dans son expression. L'aveugle ne bouge absolument pas et la mère non plus, à peine détourne-t-elle le visage, baisse-t-elle un peu les yeux. Le garçon, lui, a les yeux grands ouverts sur les hommes – des yeux ouverts et brillants comme s'ils reflétaient une hallucination.

Et toujours du dehors on entend les pleurs des bébés, un autre chien qui aboie, les plaintes des femmes, et puis cette odeur de brûlé qui se répand, les pleurs des femmes et les lamentations sur la place qui planent aussi dans l'odeur acide, âcre, de la fumée noire, l'odeur, la fumée qui s'infiltre et pique bientôt les narines et les yeux.

Les hommes vont repartir. Ils vont sortir. Février hésite et il regarde la fille, elle le sent, les autres aussi le sentent, les soldats aussi. Mouret lui donne un coup sur l'épaule.

Allez, viens.

Ils sortent. Ils sont sur le pas de la porte lorsque Nivelle se retourne, sans prévenir, d'un mouvement sec et mécanique sans réfléchir on dirait il revient sur ses pas, quelques foulées, le corps raide ; il fait quelques mètres et prend son pistolet dans son ceinturon et sans regarder sans réfléchir droit devant s'approche du garçon et lui tire une balle dans la tête.

Dehors, Février et les autres découvrent le village en feu. Les femmes et les vieillards sont au milieu de la place, alors que de certaines maisons qui brûlent on entend des gémissements. Et tous les hommes et les femmes sont assis les uns contre les autres, blottis les uns contre les autres, et les femmes pleurent, pas toutes, quelques-unes se retournent et regardent les maisons en feu, et d'autres supplient ; les hommes baissent les yeux et attendent, les mains à plat au-dessus des têtes, ils attendent et les pleurs des femmes sont plus insupportables encore que la fumée et le feu qui dévaste autour d'eux les maisons, plus intolérables peut-être que les soldats si proches qui les pointent des mitraillettes, et le lieutenant qui hurle et tourne autour d'eux, il donne des coups de pied dans les épaules, dans les dos, et il ordonne de parler, de dire où sont les hommes valides, on le sait forcément, les maris, les fils, les frères, où ils sont puisqu'ils vous ont abandonnés ici,

140

C'est des chiens, répète le lieutenant, des chiens parce qu'ils vous ont abandonnés, ils savaient qu'on viendrait et ils vous ont abandonnés.

Et alors il continue à tourner autour du groupe d'hommes et de femmes et d'enfants, et puis des soldats passent entre eux, enjambent les corps, et ils donnent des coups de pied au hasard, des coups de ranger, et les femmes hurlent, les enfants pleurent dans leurs bras. Elles crient qu'elles ne savent pas,

On ne sait rien, ils sont partis depuis si longtemps, les hommes, on ne sait pas, vers la ville, à Oran, pour du travail, ils sont partis chercher du travail.

Et le lieutenant ne les croit pas. Les soldats ne les croient pas. Le lieutenant arrache un bébé des bras d'une femme – au départ elle résiste, elle retient l'enfant, ses bras, ses mains accrochés au corps de l'enfant et le lieutenant qu'un soldat vient aider, repoussant la femme à coups de crosse dans les bras, dans les épaules, pour qu'elle lâche, qu'elle cède, et enfin elle cède et s'écroule et le lieutenant prend le bébé, il le soulève, le brandit par le cou, d'une seule main, les vieux et les femmes se redressent mais les soldats pointent les canons et le lieutenant lève le bras plus haut encore et on voit le bébé et les bras minuscules, les jambes minuscules qui s'agitent,

Son père, il est où, où est son père ?

Et le lieutenant reste le bras en l'air et l'enfant crie et se débat, on dirait qu'il nage, sa mère crie, elle supplie, elle a rampé jusqu'aux pieds du lieutenant et elle veut s'accrocher à lui mais le soldat frappe encore, à coups de crosse, la repousse, le lieutenant ne la voit pas, il regarde les autres sur la place, tous les autres, assis, terrifiés, qui n'osent rien,

Où sont-ils, où sont vos hommes ?

Et il n'attend pas de réponse, c'est fini, il sort son pistolet et plaque la bouche du canon sur la tempe du bébé et une marque rose se dessine sur la tempe, s'incruste, et le bébé crie, le lieutenant regarde les femmes, les vieux, ils ne disent rien et il regarde autour de lui les soldats, figés, livides eux aussi,

Non,

Il entend une voix qui dit,

Non,

Il attend comme ça et laisse le silence recouvrir tout, puis il se demande si c'est lui, si c'est lui-même qui a parlé et a dit,

Non.

Il rengaine son arme, et, d'un mouvement indifférent, comme un noyau qu'on recrache après l'avoir fait rouler dans sa bouche très longtemps, jette le bébé à quelques mètres de lui ; et bientôt on entend rien que les larmes et la plainte infinie de la femme qui se jette sur l'enfant.

Alors on continuera jusqu'au village d'après.

D'un village à l'autre, on sent encore la fumée, pas seulement sur les vêtements mais dans l'air, qui se répand et colore le ciel. Un moment on traverse la fraîcheur d'un torrent à la fois immense dans sa largeur mais où l'eau n'est qu'un filet très mince serpentant sur un lit de cailloux qu'il faut enjamber, comme aussi la rocaille et les touffes de chardons. La terre est humide, sablonneuse, piquée de salicornes. On entend des moutons et des chèvres. On trouve des traces de sandales et de pataugas. On marche assez vite, en silence, on n'entend que le bruit de l'eau entre les pierres et les cailloux qui glissent sous les pieds, les voix lorsqu'elles disent merde, voix de ceux qui trébuchent et la bimbeloterie de ferraille du chargement sur les gars.

On s'arrête pour mettre ses mains dans l'eau, se rafraîchir.

On ne dit pas un mot. Et lorsque le lieutenant ordonne à Poiret d'aller chercher ceux qui traînent, celui-ci renâcle un peu, non par peur, mais par mépris pour ceux qui traînent, ou simplement parce qu'il ne veut pas marcher plus que nécessaire.

Et, bien sûr, c'est Châtel qu'il trouve seul, dernier. Lorsque celui-ci le voit venir vers lui son regard est sans appel,

Fous-moi la paix.

Châtel voudrait dire,

Fous-moi la paix.

Mais il ne le dit pas. Que par la blancheur, la pâleur de son visage, la froideur de son regard. Ou plutôt la colère. La fureur déjà. Et alors ça ne dure pas longtemps. Le temps pour les autres de se retourner lorsqu'ils entendent non pas les voix, pas le bruit des mains mais le barda des deux hommes qui tombent dans l'eau et les éclaboussures des corps qui se battent et les roulis des cailloux dans l'eau.

Lorsqu'on les sépare, Châtel est à terre, l'autre l'insulte et continue de frapper, il frappe fort, des

143

coups de pied. Châtel est dans l'eau et protège son visage, son corps ne sent rien, à peine les cailloux sous lui, qui roulent, glissent, cognent aussi dans son corps, le dos, les fesses, les jambes, comme les coups de pied de Poiret,

Bats-toi, pauvre merde, bats-toi !

Et les autres alors retiennent Poiret, on aide Châtel à se relever et à reprendre ses affaires.

Mais on le fait sans ménagement, sans amitié pour lui, juste pour aller plus vite, parce que le lieutenant en a donné l'ordre. Et on ne le regarde pas. On ne s'étonnerait pas qu'il se mette à pleurer. Mais il ne pleure pas. Il marche et murmure quelque chose, le regard fixe sur le dos de ceux qui avancent devant lui, comme s'il ne voyait plus rien et que l'ombre dont on bénéficie pour l'instant allait durer toujours.

Mais non. Bientôt il faut sortir de l'oued. On aperçoit les toits du prochain village.

Châtel s'arrête et se met à vomir.

Le soir, il est debout au comptoir du foyer, et pendant un temps qui lui semble infini il reste là, sans bouger, les coudes sur le comptoir, le regard tourné vers la salle.

Là, Nivelle et Poiret jouent au baby-foot.

Châtel les regarde et il ne peut pas détacher son regard de ces deux gars qu'il ne comprend pas.

Il les regarde, avec leur façon à l'un et à l'autre de se tenir bras en avant et jambes écartées, le buste et les épaules très mobiles, la nuque de Nivelle, les crânes qu'on devine sous la chevelure coupée à ras. Il les voit tourner les poignées, il entend claquer les barres chromées et on entend les claquements résonner dans le silence épais et lourd de ce foyer soudain trop sage, où les uns et les autres boivent leur bière sans parler – des hommes qui ne parlent pas, qui fument aussi et gardent, même dans leur façon, quand ils le doivent, de parler, comme une lenteur. Est-ce que c'est la fatigue, est-ce que c'est la peur, il ne sait pas. Il entend et ressent encore l'eau dans l'oued et les cailloux qui ont roulé sous sa peau quand l'autre exigeait qu'il se batte, de cette voix qu'il entend gueuler pareille, maintenant, exactement pareille, contre Nivelle, parce qu'il gagne ; et le bruit de la balle quand elle semble perforer le but adverse, un bruit sec et mat comme un coup de feu.

Châtel sursaute.

Tous les deux jouent si fort que parfois le baby-foot se déplace en entier, et Châtel est presque effrayé de ça. Et le regard des autres autour de lui, comment ils regardent les deux joueurs, forcenés, les voix qui résonnent, le grincement du jeu sur le sol, les balles blanches qui roulent et qu'on jette d'une main sûre au milieu du terrain.

Et lorsque plus tard Châtel entre dans la chambrée, à l'heure où tous les autres finissent de traîner au foyer avant le réfectoire, il voit Bernard, assis sur son lit, plongé dans la lecture de son missel.

Et si ce dernier redresse la tête, c'est pour aussitôt la replonger et laisser ses lèvres courir d'un psaume à l'autre, le souffle retenu, très concentré. Châtel sait qu'ici il ne peut parler à personne, ni même à Bernard, comme il le croyait au début. C'est fini, il le sait, Bernard est agacé par Châtel, tout l'agace en lui, son étrange maigreur et sa pâleur, sa fine moustache noire au-dessus des lèvres, cette sorte de duvet très fin, comme une ombre, qu'il taille aux ciseaux tous les jours. Trop sûr de lui derrière cet air fragile qui lui sert de paravent, de fausse modestie, cet air d'étudiant, d'intellectuel, cette laideur aussi qui fait penser et croire à Bernard que sans doute c'est parce qu'il est incapable de plaire aux femmes que Châtel se voit bien en serviteur de Dieu.

Parce que Châtel est quelque chose comme un pacifiste, un de ceux dont Bernard ne sait rien que quelques mots entendus il ne sait pas où, des gens comme on n'en connaît aucun, qui pensent qu'un Dieu ne chasse pas l'autre, qu'on peut avoir d'autres croyances et pourtant les mêmes droits, qui parfois va jusqu'à dire,

l'ONU, tu sais ce que c'est l'ONU ?

Impossible de rien lui dire, Bernard et lui ne sont d'accord sur rien.

N'empêche que ce soir, quand on les appelle tous les deux, parmi d'autres, Bernard devine combien Châtel va se sentir seul, plus que les autres encore, et pourtant il faudra y aller, se retrouver dans la nuit avec les autres, puis sortir du poste et marcher une bonne trentaine de mètres et se déployer autour du poste – on n'aime pas ça, aucun n'aime ça, parce qu'on se retrouve seul dans la nuit et que pendant des heures on doit rester éveillé à guetter, fusil en main, accroupi ou debout.

On forme un cercle autour du poste, mais les maillons en sont tellement espacés qu'on se sait seul, l'espace entre deux hommes est si large, si vaste alors, et on ne peut pas se parler, on aimerait au début se parler mais lorsque l'on sait que parler c'est devenir une cible, fumer aussi, on peut être vu, entendu, très vite on y renonce et tout de suite on se sent plus nu et vulnérable qu'à l'intérieur, ici rien ne nous protège – et Bernard comme les autres n'a pour compagnie que les gargouillis affreux qui lui déchirent le ventre, l'envie de vomir et la faim aussi parce que le dîner est déjà loin, on mange tellement mal, enfin, non, pas mal, mais c'est toujours tellement la même chose. Parce qu'on voudrait, le corps voudrait ne plus connaître encore le même *corned-beef* ni les boîtes de thon à l'huile, ou alors encore les légumes secs et le riz, toujours du riz, ou alors du pot-au-feu dans lequel on retrouve pendant des jours la même barbaque avariée en guise de bœuf,

Ça non, non, c'est pas du bœuf !

fulmine Février qui s'y connaît et reconnaît très vite le goût du mouton ou du chameau. Mais il ne reconnaît pas celui des ânes qu'on tue aussi, parfois, par erreur – des cadavres d'animaux dont le seul mérite est de ne pas sortir d'une boîte de conserve. Alors de la viande. Et du vin. Et retourner au pays. C'est ça dont Février parle à Bernard, le soir aussi, lorsqu'il montre sa fiancée en photo dans son portefeuille. Parce que, ici, les femmes sont des souvenirs cachés dans des portefeuilles où l'on a remisé les bals du samedi soir, les fiancées serrées très fort, des robes légères, une chaleur de printemps, et alors c'est la douleur lancinante du désir, d'un désir qu'on chasse en rigolant.

Mais Février montre Éliane en photo à la plage, et alors on la voit debout, elle sourit au photographe et à chaque fois, il le sait, c'est peut-être un peu pour se vanter qu'il montre la photo, pour dire, oui, regardez celle qui m'attend, ses jambes et ses jolis pieds nus dans le sable, le monokini et les cheveux au vent et les mains sur les hanches et ce sourire sur la plage de la Tranche-sur-Mer, les seins bombés et alors les sifflets de toute la chambrée,

La quille, bordel !

Et il crie, Février,

La quille, bordel !

Et ils rient tous.

La quille, bordel !

Ils essaient de lui arracher la photo, de se la passer les uns les autres, et les commentaires volent entre deux rires.

Et maintenant, dans la nuit, on finit par avoir froid.

Bernard essaie de changer de position souvent, ses membres s'engourdissent et il essaie d'entendre ceux qui sont à droite et à gauche, ceux qui comme lui changent de position et qu'on entend, de loin.

On se dit que ce sont eux, parce que même si les yeux s'habituent dans la nuit, ce qu'on guette, d'abord, ce qu'il cherche lui aussi à entendre, plus qu'à voir, ce sont tous les bruits qui ne viennent pas de lui, de son corps dont la respiration est si lourde que parfois c'est elle qui lui fait peur, comme si on soufflait derrière lui, comme s'il y avait quelqu'un tout près de lui – et les mains, les doigts alors s'agrippant si fort au fusil, les yeux s'abîmant dans la nuit à chercher une ombre, une silhouette – mais ce qu'on aperçoit et qui se découpe dans le gris bleuté, c'est le dessin du paysage qu'on connaît depuis des mois et que la nuit on préfère voir de là-haut, quand on est sentinelle, plutôt qu'ici à l'avant-poste.

La différence, c'est que là-haut on est dans une tour de pierre, solide, ferme, des pierres grisâtres qui n'ont pas peur des balles, et l'on grimpe par l'escalier auquel on accède par une porte en fer, verrouillée par le chef de poste.

On n'y craint rien ; on se dit que si le poste était attaqué, c'est sans doute le seul endroit où rien ne pourrait arriver.

Parfois, lorsque Bernard est sentinelle et que face à lui c'est la nuit qui s'étend, le froid ne le tient pas éveillé. Il fait doux, et on pourrait même y trouver le sommeil plus facilement que dans la chambrée, parce que, ici, au moins, ni les ronflements ni les odeurs de transpiration ne viennent perturber l'envie de dormir. Les grillons accompagnent le mouvement de l'endormissement, ce léger flottement aussi qu'on perçoit, du vent dans les arbres et les broussailles, cet engour-

149

dissement dont on peut vite aimer la caresse en se disant : ce ne sont pas les pires moments.

On imagine ce qui arrive de l'autre côté du poste, derrière les grandes cuves de pétrole. On imagine la mer et les bateaux dont parfois on entend les sirènes, et, de l'autre côté encore, derrière les collines, on se dit qu'il y a l'étendue de ce pays dont on ne connaît que le nom et les idées qu'on s'en fait, idées toutes faites, de carte postale, le désert, les chameaux, on imagine les cavaliers enturbannés lancés sur les pistes à toute allure, le sable comme une nuée autour d'eux et de grands gestes souples lorsque, très au-dessus d'eux, ils font danser des sabres immenses et recourbés comme des faucilles.

Mais maintenant on s'accroche à son fusil et Bernard comme les autres esquinte ses yeux à chercher des formes mouvantes dans la nuit.

Les chiens errants viennent rôder, il le sait, il les aperçoit parfois de la sentinelle – taches brunes détachées dans le bleu transparent et rosé par endroit – mais de là-haut on n'a pas peur d'être attaqués, même par des chiens que l'odeur des poubelles attire jusqu'ici.

Alors que là, ce soir-là précisément, il faudra d'abord entendre un craquement.

Comme un craquement de brindilles sous des pas.

Pendant quelques secondes Bernard retient sa respiration, il veut entendre. Il se demande si ce n'est pas seulement un copain qui est en train de pisser plus loin – souvent, quand il est ici, il a tellement peur de se faire attaquer juste au moment où il baisserait la garde pour aller pisser qu'il se retient tant qu'il peut – on a tellement d'histoires en tête – tellement de types comme lui, des bidasses qu'on aura trouvés égorgés au petit matin, le sexe dans la bouche. Alors il tend mieux l'oreille, oui, un bruit encore assez loin, comme des brindilles qu'on écrase ou bien, est-ce que c'est le vent – il sait bien que ça peut être n'importe quoi.

Il y a tellement de nuits où même au poste il n'arrive pas à dormir.

C'est parce que l'histoire de l'argent et de sa mère le révolte encore : il sait qu'il ne peut rien faire contre ça.

Et il a beau essayer de chasser la peur dans la nuit en récitant des psaumes et en caressant le métal, en tapotant la crosse de son FM, il sait que la colère pendant des semaines, les premières semaines au moins, l'a aveuglé et comment, grâce, ou à cause d'elle, comme une anesthésie, il ne s'est pas vu embarquer jusqu'à maintenant. Parce que pour lui il n'est plus question de retourner dans les champs, ni de s'asseoir des après-midi entiers à regarder les vaches brouter sa jeunesse et toute sa vie qui part dans le frissonnement des feuilles de peupliers.

Tout ça, c'est fini.

Lui, il rêve d'avoir un métier dans la mécanique, de travailler en ville et quitter l'ennui ou la fatigue des champs. Il veut de l'argent. Il imagine qu'avec l'argent tout changera. Il pourra partir en ville et trouver un travail de manœuvre dans une usine et même, pour-

151

quoi pas, dans un garage, comme Nivelle, qui est mécano chez un concessionnaire près d'Orléans. Ou même mieux, depuis qu'il connaît Mireille : avoir son propre garage. Voilà ce à quoi il rêve et dont il parle parfois avec d'autres, parce que certains entendent l'idée de ne pas revenir à la ferme, vu que le travail y est difficile et pas forcément très rentable.

Et il repense à l'argent qu'il a à peine gagné, déjà perdu.

Il se voit réclamer son argent à sa mère, le lendemain de son retour, après avoir enfin dormi et mangé pour trouver la force de s'opposer et de réclamer calmement son dû. Ça ne pourra pas avoir lieu le jour où l'on sera venu le chercher à la gare et où tous auront voulu le toucher, comme pour vérifier que c'est bien lui devant eux. Il voit tout, jusqu'à imaginer le visage de sa mère qui l'attendra chez elle, et à qui il ne parlera pas tout de suite, mais le lendemain de son retour, tremblant, raide, prêt à abandonner à cause de la peur au ventre et pourtant déterminé à ne pas céder et à exiger, pièce après pièce, qu'elle lui rende le compte exact d'une somme dont il ne restera rien que deux vaches dans un champ et la toiture toute neuve de la grange.

C'est surtout pendant la nuit qu'il pense à ça.

Et maintenant il se dit qu'il ne récupérera pas l'argent que sa mère lui a pris. Il n'en a plus besoin. Il se dit qu'il ne foutra plus jamais les pieds à La Bassée et chez ses parents encore moins, parce que maintenant il connaît Mireille et qu'avec elle il sait qu'il partira et qu'il ouvrira son garage à Paris.

Et cette fois, il est presque sûr, il y a quelque chose, là-bas, au loin, qui bouge.

Quelque chose qui avance.

Il s'est accroupi et il attend. Il veut entendre mieux, derrière les bruits des grillons et le souffle du vent, pourtant léger et si tiède, sous un ciel trop clair pour que les fells risquent – quoi, on les verrait, sans doute on les verrait, le ciel trop pâle, sans nuages, la lune à moitié pleine et les étoiles comme des milliards de loupiotes – oui, il regarde devant lui, il voit un peu et même il se voit très bien, les mains, les bras, les jambes, le corps, le reflet de lumière grise sur le métal du fusil. Ce n'est pas une nuit profonde, alors il se dit qu'ils n'oseront pas. Et, d'ailleurs, la seule fois où ils avaient osé, il se souvient, il était dans la chambrée et la nuit avait été coupée en deux par une rafale de mitraillette, d'un seul coup, net, comme un fruit d'un coup de lame.

Les yeux de tous les hommes s'étaient ouverts en grand comme s'ils étaient celui d'un seul.

Un seul réveil, en sursaut, et le silence le temps de se redresser dans son lit, d'allumer la lumière et d'écouter, faire taire ceux qui parlaient et s'inquiétaient sans même se laisser le temps de comprendre.

Vos gueules !

On s'observait en essayant de retenir une respiration déjà très lourde, très forte, presque haletante.

La ferme !

Puis les rafales de coups de feu avaient repris dans la nuit. On avait dit : c'est le gars sur la guérite, là-haut, la sentinelle, c'est lui qui tire, il répond, il ne fait que répondre aux tirs.

Pendant quelques secondes on s'était demandé si c'était une attaque, si on allait devoir se battre, ou si.

Puis rien. Le silence. Très long, très profond. Comme si toute la côte avait fait taire toute vie pour laisser les balles transpercer l'épaisseur de l'obscurité et la fraîcheur de l'air ; et puis un chacal – à moins que ce ne soit pas un chacal mais le cri de ralliement des fells, on y avait pensé, puis plus rien.

Le lendemain, on avait retrouvé des traces de pataugas dans le sol et une flaque énorme d'un sang noir comme du mazout, puis le corps sans vie dans une combinaison bleu pétrole d'un gars du coin qu'on connaissait bien.

Alors, il repense à cette histoire et maintenant il sait que c'est une mauvaise idée, qu'il ne faut pas penser à ça, ils ne viendront pas. Il fait trop clair. La nuit est trop claire. Il entend pourtant quelqu'un qui tousse, plus loin, comme si quelqu'un parlait derrière lui.

Il se retourne et derrière lui il n'y a que la masse de la sentinelle et la grille du poste, et il fait encore demi-tour sur lui-même, il le sait, on ne doit pas rester comme ça, dos aux collines. Il sent que c'est la peur qui gagne en lui, parce qu'il n'a plus froid du tout, et il semble même que dans son dos une transpiration gluante s'étale et l'envahit presque en entier.

Il passe sa main dans son cou et sur son front, oui, c'est ça, un liquide poisseux qu'il n'a pas besoin de goûter, il connaît par cœur son goût salé.

154

Alors il faut quelque chose, il faut penser à Mireille, c'est ça qu'il faut, pour tenir, ne pas succomber à la peur et l'envie de pisser à laquelle il va devoir céder bientôt, mais pas encore. Pour l'instant il peut tenir et il va rester debout, cramponné à son fusil et faire plusieurs fois le tour sur lui-même et ne pas compter les ombres ni les reliefs, les dessins, les angles, les arbres, les mouvements des branches, ni le nombre de collines, ni rien, mais il va penser à Mireille et se dire encore qu'il l'aime et aussi que l'amour ce n'est pas la peine d'en faire toute une histoire.

Il ne pense pas à Mireille tout le temps. Il ne trouve pas qu'elle soit une fille très belle. Non, l'amour n'est pas aveugle, pas comme on lui a dit.

Il se voit dans un garage dont il serait le patron, et Mireille tiendrait les comptes, elle saurait faire ça, c'est sûr ; il repense à leur rencontre dans un bar avec le cousin Rabut, comment il avait oublié son calot et que pour cette raison elle lui avait écrit, et aussi qu'il était venu chez elle, sur son invitation, pour le récupérer. Et l'impression si forte que lui avait faite le père de Mireille, quand ils s'étaient retrouvés, Février et lui, sur les chaises où on les avait installés devant une orangeade (comme si c'était des enfants et non des hommes).

Ils n'avaient pas pu s'empêcher de se dire qu'un paysan et vigneron comme le père de Mireille, non seulement ils n'en avaient encore jamais vu, mais ils auraient bien douté de son existence, de sa possibilité même d'existence – un agriculteur aux mains si fines, si blanches – s'ils n'avaient pas été là, en face de lui, assis autour d'une grande table d'un bois brillant et noir, lui, en chemise et en cravate, les manches retroussées assez haut sur les avant-bras, l'air assez décontracté et pourtant le visage sévère, presque austère, les cheveux coiffés en arrière, les lunettes soulignant le visage assez maigre, mais banal, sans rien qui le différencie vraiment des autres colons d'ici.

Mais tous ces tableaux sur les murs, la moukère venue ouvrir la porte. Et les tapis. Le patio et sa fontaine. La fraîcheur. Et les grands meubles. L'escalier. La maison entière, si vaste, se dire que tout ça fait partie de la beauté de Mireille. Et entendre encore Mireille lui dire qu'elle lui trouve un faux air, non, plus que ça, une ressemblance avec un acteur américain dont il n'arrive même pas à se rappeler le nom. Et se dire que tout ça. Se le répéter. Se dire que Mireille est peut-être sa chance.

C'est sûr, elle est sa chance.

Et, quand il prie, c'est sans oublier de remercier Dieu pour ce geste : lui avoir fait rencontrer Mireille et lui avoir donné cette ressemblance avec l'acteur américain.

Comme de se dire que maintenant on s'écrit si souvent et qu'on se parle de projets, on se dit, demain, quand ce sera fini. Il se dit, quand ce sera fini, ce sera bientôt fini. Tout ça, la nuit. Et ce mouvement qu'il entend, sur sa droite, comme si on venait d'avancer, de marcher. Et ce qui craque maintenant ce ne sont pas des pas sur des branches ou dans les broussailles, non, ce qui craque c'est seulement dans sa bouche le grincement de ses dents, sa peur dans la bouche et

156

les mâchoires serrées si fort qu'il pourrait faire saigner les gencives ou se casser les dents au moment où la rafale vient crever la nuit – pas loin sur sa droite, un éclair de lumière, blanc, bleuté, et la fulgurance et l'écho qui envahit tout l'espace et lui tout à coup il est face contre terre et ses mains sont prêtes à tirer, les doigts crispés sur la gâchette.

Il tremble. Il souffle fort. Il tremble de tout son corps et le bourdonnement à ses oreilles est si fort qu'il n'entend ni son souffle, ni les grillons, ni les cris des gars plus loin. Il ne sait pas encore que celui qui a tiré a seulement eu peur de la silhouette des trois chiens déboulant et rôdant trop près, il ne sait pas que deux chiens sont morts et qu'un autre a couru sur les collines et a déjà disparu – il sait juste la mâchoire qui lui fait mal et les larmes impossibles à arrêter, ce craquement, ce resserrement dans sa gorge, comme une brûlure, un étau et son pantalon trempé et la vessie complètement vidée et quelque chose dans la tête qui déforme tous les muscles du visage, jusqu'à la douleur.

Et pourtant, dès le lendemain ce sera le même monde, les matins avec la même mélodie,

Untel ! Au jus !

Comme si cette nuit, ce n'était rien. On fera comme si ce n'était rien.

Ce sera au tour de l'un ou l'autre de se lever pour aller chercher le café aux cuisines. Parfois, c'est son tour, mais le plus souvent non, et alors il fait comme les autres, il grommelle et toute la section avec lui, les vingt-cinq hommes. Des transistors grésillent les premières informations, des voix gueulent pour qu'on éteigne, qu'on baisse le son, et les yeux encore à demi fermés tous vont pisser contre le muret un peu à l'écart, au-dehors.

Aujourd'hui, il écrira à Solange. Comme souvent, pour passer le temps et prendre des nouvelles, dire qu'ici il se gave de saucisson, de café, de confiture.

Il peut écrire ça : ça va.

Il peut aussi demander comment va la famille, ce qui arrive chez eux – il n'ose pas écrire un *chez nous* trop sentimental et hypocrite et il insiste pour qu'elle lui donne des nouvelles des uns et des autres, qu'elle raconte des détails, des discussions, mais aussi des anecdotes sur la vie dans le bourg et aussi des nouvelles d'autres gars partis comme lui défendre la paix avec des fusils mitrailleurs et des rangers, sauver le pays dont lui n'avait pas vraiment compris qu'il était en danger, vu qu'il ne s'y passe rien et qu'on s'y ennuie à crever.

Et lorsque dans ses lettres il demande des nouvelles, ce n'est pas vraiment parce qu'il veut savoir comment vont les frères et les sœurs – ils dorment toujours dans les chambres à côté de celle des parents, par quatre dans le sens de la largeur du lit, oui, il le sait, et quatre autres dans la pièce du fond, ça fait huit, plus quelques autres qui dorment ailleurs, chez des patrons, dans les fermes et quelques autres encore dans des cercueils pour l'éternité. Et lui, ici, dans un

158

lit en fer avec une couverture gris cendre qui lui sert de dessus-de-lit, et aux pieds duquel on trouve des boîtes de conserve remplies d'eau pour que s'y noie la vermine.

Au moins, il a un lit pour lui tout seul. Il a de la chance, lui répète-t-on. Parce que, ici, les baraquements sont en parpaings, alors que d'autres sont dans des guitounes et les guitounes ça laisse passer les lames de couteaux des fells comme dans du beurre, lui explique-t-on, et les balles encore mieux.

Oui, ici, c'est bien.

Il peut écrire à Solange que pour lui la situation aurait pu être pire. On n'est pas loin d'Oran, il raconte qu'il a revu le cousin Rabut là-bas et que c'est avec lui qu'il a rencontré Mireille, et d'autres gens aussi, Philibert, Gisèle, Jacqueline.

Il raconte que vers huit heures on se réunit et qu'on reste au garde-à-vous le temps de la levée des couleurs. C'est le moment où l'on regarde le drapeau dans le ciel bleu, le moment où l'on essaie de se faire croire qu'on est là pour quelque chose comme des idées, un idéal, une grandeur quelconque, un projet de civilisation comme l'explique l'une des brochures qu'il a reçues en arrivant.

On se donne des missions, des buts, et l'humeur du chef de poste est le baromètre de la journée. Travaux d'entretien, revues d'armes et de chambrée, et l'instruction pour les nouveaux, des séances de tir. On est là pour protéger les grandes cuves de pétrole, on est coincés entre la mer et les collines. On protège aussi le directeur de la raffinerie, lui et sa famille. Au départ, on a été surpris qu'on ait nommé un Algérien à ce poste, si les citernes sont si importantes et le pétrole une denrée si précieuse, comment se fait-il que ce soit un Algérien le responsable, on se demande, on ne sait pas qu'il existe aussi une bourgeoisie arabe.

D'ailleurs, on ne voit presque jamais l'homme, sa femme encore moins. Elle reste à la maison, qui est à l'intérieur du poste, mais tout de même suffisamment excentrée pour se croire à l'écart. Quand on est d'inspection et de garde, il faut aller jusque derrière la maison, qui est une maison en pierre comme on en trouve en France, un simple cube à un étage, et faire le tour derrière le petit potager, aller jusqu'au barbelé. Ça rallonge très nettement la marche, et on n'aime pas tellement passer par là, parce que l'éloignement du reste du poste est parfois un peu inquiétant, surtout la nuit. L'endroit est sombre, on prend le fusil dans les mains pour avancer, on se penche pour mieux voir, aux aguets.

Parfois on voit la lumière par l'une des fenêtres.

Il n'écrit pas à Solange que certains prétendent avoir vu la silhouette de la femme nue derrière le rideau, ou même nue à la fenêtre. Personne n'y croit, mais tout le monde est quand même resté une ou deux fois plus longtemps que prévu sous la fenêtre des seuls civils du poste pour voir si jamais.

Sauf que non, jamais.

Par contre, il peut dire qu'on voit le mari très tôt le matin, qui traverse la cour et va rejoindre son bureau de l'autre côté du poste, dans un préfabriqué où il travaille. On ne comprend pas trop ce qu'il fait là toute la journée. On sait qu'il reçoit des visiteurs, et régulièrement des camions viennent, accompagnés d'une section pour eux seuls, tant on redoute les attentats. On remplit les camions et puis ceux-là repartent.

Parfois on voit aussi la petite fille du couple. Elle est toujours vêtue dans des couleurs sombres, et Bernard la croise souvent lorsqu'il fait l'inspection du poste, que ce soit avec Février, Nivelle, Poiret ou un autre.

Quand on passe près de la maison, parfois on entend les cris d'un nouveau-né.

La petite fille est timide, ou alors elle a peur, on ne sait pas. Toujours est-il qu'elle répond en baissant les yeux lorsqu'on lui demande son prénom et son âge. Fatiha, c'est le prénom qu'elle murmure.

Fatiha a huit ans.

Et puis le repas de midi et la sieste. Des journées étranges et longues comme il en connaît avec les vaches dans les champs, lorsque la seule musique à laquelle on a droit c'est le bourdonnement des mouches et sa propre respiration, lourde, haletante, dans l'entre-deux d'un sommeil d'après-midi.

Mais là, c'est autre chose. Il n'est pas seul à être seul, ils sont seuls tous ensemble.

Cet après-midi, il n'est pas le seul non plus à ne pas vouloir parler.

On marche sans rien dire. On écoute les cigales et les bruits de caillasses qui roulent sous les pieds, on marche simplement en suivant celui qui est devant, sans savoir où l'on va, sans attendre non plus. On écoute Nivelle parler des paysans d'ici et les plaindre parce que, avec une terre pareille, rien ne doit pousser, dit-il. Et puis Abdelmalik répond que non, il se souvient qu'ici, avant, il y avait du blé, qu'on faisait pousser du blé mais que les paysans dans les centres ne peuvent plus travailler la terre.

T'appelles ça de la terre ?

Oui. Avant il y avait du blé.

Et on parle aussi des oliviers énormes dont la couleur est d'un vert presque gris, qu'on ne connaît pas chez nous ; tout est tellement blanc ici, ou laiteux, sans ombre, sans relief, même les collines se fondent dans le ciel, même le bleu n'est pas bleu mais comme dilué dans une brume blanchâtre où montagne et ciel se confondent. Ça, on a le temps de voir. Parce qu'on ne croise personne. On ne voit personne. Que la pierraille, la poussière, les mouches qui viennent coller à la sueur des visages : et les yeux plissés déjà pour voir devant soi, à une centaine de mètres, un tas de pierres, des constructions, les formes d'un hameau.

De loin, oui, ça ressemble à un hameau.

Quelques murets et des touffes éparses et maigres d'une mauvaise herbe jaune et filasse, de chiendent, là où il y avait des familles et des maisons. Bernard ne comprend pas pourquoi on a chassé les gens, mais il sent qu'il vaut mieux ne rien demander. On parcourt sans rien dire les petits chemins qui ont été presque des ruelles.

Parfois on voit tout un mobilier fait en terre. Parfois les choses sont modelées et on a décoré l'ensemble, ou des parties seulement, de grands dessins, souvent des serpents.

On va partir, il ne faut pas rester ici, comme si c'était un cimetière. Bernard pense à ce qu'on lui a dit d'Oradour-sur-Glane, et cette pensée lui donne soif, quelques secondes, une soif étrange qu'il faut étancher tout de suite, quand les autres ont déjà repris le chemin et que lui, quelques secondes, reste perdu dans le vide, le regard fixé sur une jarre éclatée, dans ce qui a peut-être été une cuisine.

Après, lorsqu'on se retrouve au camp de regroupement, il faut marcher dans le camp, il faut inspecter, et Bernard aujourd'hui regarde les gens et il se demande ce qu'on ferait aussi, nous autres, dans les hameaux de la Migne si des soldats étaient venus tout raser, tout briser, nous empêcher de cultiver, de travailler.

Il imagine.

Tous ces gens sans travail qu'on viendrait parquer dans un centre de regroupement. Il imagine et se demande si eux aussi feraient comme les hommes dans le camp, à étendre à même le sol des bassines en plastique en prétendant se faire comme ça épicier, avec deux ou trois bassines à vendre, ou chauffeur pour simplement avoir un permis en poche et pas même de voiture, ou menuisier, pourquoi pas, avoir

163

dans une boîte de chicorée des vieux clous rouillés, est-ce que ça suffirait pour supporter l'humiliation de ne pas avoir de travail, est-ce que les hommes qu'il connaît supporteraient l'éloignement de leurs récoltes et les barbelés autour de leurs enfants ?

On voit des hommes en djellaba de laine qui restent assis sans parler pendant des heures.

Comme des sacs.

On dirait des sacs de ciment parce qu'ils ne bougent pas et attendent quoi, Bernard ne sait pas : il imagine juste ce que ce serait pour ceux de chez lui de vivre le même affront, pour un paysan être privé de ce qui fait sa raison de vivre. Il imagine ses frères et les enfants jouant comme il a vu ici, autour de la fontaine, avec des jouets fabriqués avec des fils de fer – des roues fines comme des brindilles, des chariots fragiles comme du papier, et les regards de deux sœurs dont l'une portait des tresses et l'autre une robe rose avec des hirondelles bleu ciel et un filet doré pour souligner le dessin.

On regarde les gens avec attention. Il ne sait pas tellement pourquoi il regarde les gens comme ça, cette misère, comme s'il n'avait jamais vu ça, mais il est tellement fatigué, excédé aussi, qu'est-ce qu'on fout là, il voit bien que c'est ridicule, ça n'a aucun sens d'être ici, qu'on rentre à la maison, qu'on laisse ces visages qu'on croise avec ce qui fait peur en eux, leur silence, leur gravité, les yeux brillants, est-ce que c'est la fièvre, est-ce que c'est la colère ?

On ne sait pas.

On ne sait pas pourquoi, mais on sait qu'on a peur. Et dans sa bouche Bernard a le même goût que cette nuit, mais c'est plus doux, plus lancinant ; on regarde les soldats et eux ils marchent entre les baraques, lentement, très lentement, et lui fait partie des soldats, des hommes si jeunes qui marchent dans les allées.

Il marche calmement et à l'intérieur de lui il trouve absurde ce camp taillé en ligne droite avec sa mairie, sa fontaine et sa misère, ses enfants aux cheveux sales et mal nourris, les regards étonnés qu'ils ont quand on finit par entrer et fouiller chez eux sans rien leur demander, sans qu'ils osent rien contre nous.

Parce que dans le camp c'est toujours la même apparence de calme et de paix résignée ; la même violence dans les regards vifs des femmes, les bébés aux yeux fermés et aux ventres gonflés comme des ballons ; et puis les hommes qui restent là sans rien dire, et qui attendent.

Demain, une partie des hommes partira pour Oran. Bernard n'est pas de ceux-là et devra rester au poste.

Il faudra rester ici toute la journée et attendre le retour des autres, passer son après-midi à imaginer l'occasion manquée. Il n'a pas envie de parler de mécanique avec Nivelle. C'est une journée très chaude, très lourde, où pourtant la présence de la mer garantit un peu de fraîcheur. Il fait une sieste et marche dans le poste une partie de l'après-midi, un peu par ennui ou pour se dégourdir les jambes ; c'est ce jour-là qu'il retrouve la petite Fatiha assise à l'ombre d'un olivier.

Elle joue et ne le voit pas tout de suite. Lorsqu'elle lève les yeux vers lui, il lui sourit et lui demande à quoi elle joue. Il s'approche d'elle et elle, d'une voix non pas forte mais sûre d'elle, comme la voix de ce qu'une enfant de huit ans peut imaginer être une voix d'adulte, elle lui fait la leçon et le tutoie sans hésitation – tu prends des olives, il faut pas qu'elles soient mûres mais pas trop dures non plus et tu les jettes comme ça (à ce moment-là elle lance les deux olives qu'elle tient dans sa main), voilà, tu retournes la main, il faut qu'elles retombent sur le dos de la main et si tu rates ton adversaire te donne comme ça des coups de doigt sur la main, un coup par olive qui a raté, là j'en ai raté une, tu dois me donner un coup avec un doigt.

Et alors il s'agenouille avec l'enfant et tous les deux pendant quelques minutes jouent, et bientôt tous les deux se prennent au jeu. Bernard lance et ne rattrape pas toujours les olives. Il s'amuse du sérieux que Fatiha met pour joindre ses doigts et frapper le dos de sa main, en comptant très haut le nombre de coups.

Lui aussi veut proposer quelque chose, il a une idée et cette idée lui plaît tant que, tout à coup, il sourit et demande si Fatiha veut bien venir avec lui. Elle hésite, réfléchit un peu, puis répond que sa mère ne veut pas trop qu'elle parle aux soldats, mais, d'accord, oui, un petit secret, sa mère n'en saura rien.

Lorsqu'ils arrivent dans la chambrée, celle-ci n'est pas vide, trois ou quatre hommes sont là, dont Poiret et Nivelle. Bernard et Fatiha approchent d'une boîte, dans laquelle il y a une tortue.

C'est notre mascotte. C'est eux qui l'ont trouvée.

Une tortue, je savais pas qu'il y avait des tortues.

Non, nous non plus.

Et alors Nivelle et Poiret avancent à leur tour vers la boîte et regardent l'animal. Poiret s'en saisit avec précaution, on voit les pattes de la tortue comme les membres d'un nageur dont la brasse au ralenti s'effectuerait vue de dessous, et Fatiha recule une seconde, le temps d'avoir peur, de se faire peur, de rire aussi, étonnée, surprise, et finalement Poiret lui tend la tortue en lui demandant de faire attention, les dents sont pointues et les petites griffes des pattes bien acérées.

Fatiha demande si elle pourra revenir, les hommes lui disent que oui, quand elle voudra.

Au moment de repartir, Bernard la raccompagne. Il marche à ses côtés, quand elle se met à courir pour retrouver la trottinette qu'elle a laissée du côté des camions, bien avant sa maison.

Il faudra encore attendre. Attendre que les autres rentrent d'Oran.

Bernard est déçu de ne pas être parti avec eux, parce qu'à chaque fois la ville est comme une bouffée d'air. Attendre encore ceux qui auront de quoi raconter et rapporteront le courrier que tous espèrent.

Il se souvient de la première fois où il est allé à Oran, du half-track en tête et de la jeep traçant la route, et aussi que personne ne pensait aux risques d'embuscade mais seulement à ces quelques heures pour lesquelles ils auraient tout donné, parce que, après le ravitaillement au PC, on savait qu'il y aurait l'après-midi dans les rues, les cafés, on irait écouter de la musique, on ne sait pas trop, rien ne semble impossible quand pour une fois on sait qu'on sera loin de ces grandes cuves grises qui ferment l'horizon d'un côté et que de l'autre les collines leur font un pendant.

On se retrouve plusieurs à marcher dans la ville, à regarder les vitrines, les palmiers – on aperçoit la mer et on écoute les bruits de la circulation, on ne sait pas encore combien sont banales et convenues les images extraordinaires des femmes sous les voiles. Celles qui sont en scooter. Celle-ci qui roule emmitouflée dans des voiles d'une blancheur surprenante et dont on aperçoit les sourcils froncés et les yeux qui regardent droit devant, et ce détail qui les amuse : les chaussures en plastique jaune et leurs talons aiguilles.

Qui les amuse ou non. Qui les trouble aussi, les étonne. Qui ramène à leur esprit l'idée d'aller voir les femmes, on sait où.

Lui, il n'avait pas suivi les autres, de ça aussi il se souvient, du cousin Rabut qu'il avait rejoint dans le quartier de Choupot, mais d'abord de la marche dans la ville avec Idir, s'étonnant, lui, de marcher dans la ville avec un Algérien, en silence, l'un guidant le premier sans lui parler, sans même que ni l'un ni l'autre n'essaient de rien dire – l'idée de se poser des questions ne leur vient pas, ils n'y pensent pas, chacun va faire ce qu'il a à faire. Bernard sait qu'Idir va retrouver sa famille, ça lui suffit. Il ne sait pas qu'Idir s'est engagé dans l'armée pour défendre la France comme son grand-père, héros de la famille, décoré, honoré, dont un bras est resté quelque part dans la gadoue de Verdun.

Bernard ne lui demande rien, on se contente de marcher et de regarder la ville.

Sur des murs on peut lire,

L'Algérie vaincra. L'Algérie libre.

Les graffitis ont été grattés, frottés, on a vaguement repeint dessus mais en suivant le contour des lettres, alors les graffitis restent lisibles. On fait comme si on ne les avait pas vus, mais il en reste quelque chose dans les bruits de la ville et le silence entre les deux hommes, comme un doute, une incertitude : pour Bernard, une peur confuse, comme un pressentiment.

Il pense que parmi les hommes et les femmes qu'ils croisent dans la rue certains veulent sa mort, à lui et à tous ceux qui portent l'uniforme de l'armée.

Mais en même temps tout ça lui paraît faux parce que le soleil et la ville sont là, qu'on entend des conversations de rien, des rires, de la vie, c'est toute une ville qui bat, le bruit des moteurs des voitures et des scooters, un homme assis devant sa petite boucherie qui regarde des enfants jouant au foot sur une placette, les pieds nus, avec une boîte de conserve qui roule dans un bruit affreux et parfois s'arrête en silence dans les cartables et les chandails qui servent de filet.

Est-ce que c'est ça, la guerre ?

Puis il revoit l'après-midi avec Rabut, et comment celui-ci raconte prendre beaucoup de photos, que le journal, *Le Bled*, tu sais, *Le Bled* a organisé un concours, et il dit avoir gagné un Kodak. Depuis il

169

mitraille les copains et les paysages quand ils vont au-dehors, et photographie des femmes voilées, les gens sur les marchés. Mais le plus souvent de dos, parce qu'ils n'aiment pas trop qu'on les prenne en photo.

Et il revoit aussi la rencontre avec Mireille, et aussi le retour et les copains tous très excités, ils ont bu, ils ont vu des femmes et se moquent un peu de lui,

Alors, c'était bien, le cousin ?

Et lui, les copains, il les regarde sans rire. Il est même choqué que Février soit lui aussi allé voir les filles. Il le regarde sans rien dire et celui-ci entend dans le silence et perçoit à travers un regard sans concession le reproche qui lui est fait : Éliane.

Février hausse les épaules pour dire que ça n'a rien à voir, qu'il sait bien que ça n'a rien à voir. Et d'ailleurs il confie à Bernard que si avec une prostituée ce n'est pas vraiment tromper, ce qu'il a fait c'est encore moins tromper ; et c'est presque à voix basse, en s'approchant légèrement de son oreille, qu'il dit ne pas avoir couché avec la fille, même s'il est monté dans la chambre, il n'a pas couché avec elle, il s'est contenté de défaire la boucle de son ceinturon, de baisser son pantalon et de rester comme ça, debout, en fermant les yeux, en attirant la tête de la fille vers lui et en laissant glisser ses mains dans ses cheveux pour accompagner son mouvement.

C'est tout, ce n'est pas vraiment tromper.

Lorsqu'ils reviennent en fin d'après-midi, les hommes du convoi rapportent le courrier. Février n'est pas du tout de bonne humeur, Bernard le sait tout de suite ; il sent l'animosité, la colère ou le dépit de son ami : il n'a pas reçu de lettre, ça fait deux semaines qu'Éliane ne lui a pas écrit.

Ce qu'il ne sait pas encore, Bernard, au moment où il reçoit une lettre de Mireille, c'est qu'il sera lui aussi très bientôt dépité, presque furieux. Il ne le sait pas. Pas encore. Pour l'instant il tient l'enveloppe entre ses mains, ses doigts tremblent, tout son être tremble et il lui semble que le bonheur est écrit sur ses joues, sur son front, dans ses yeux.

Mais ça va être de courte durée.

Non pas que Mireille lui dise quoi que ce soit dont le ton, le sentiment, puisse lui donner une raison de s'inquiéter. Au contraire, la lettre est très longue, elle parle de l'impatience de se revoir et même elle esquisse des débuts de projets. Mais ce qu'elle dit au détour d'une phrase, comme si pour lui ça n'aurait aucune importance et qu'en tout cas ça n'en avait pas vraiment pour elle, c'est comment souvent, enfin, disons, non, pas souvent, quelques fois, c'est arrivé, une fois dans un café et deux autres dans un dancing ouvert l'après-midi, elle voit le cousin Rabut.

Elle dit qu'il est *adorable* ; ce mot dont Bernard ne sait pas encore qu'il a du mépris et de la répugnance pour lui, ce mot, parce qu'il ne sait pas alors comment un mot peut être méprisable et lâche aussi bien qu'un cousin, disons, ce cousin-là, Rabut. Et Bernard n'a que le temps de ruminer sa rage puis, pour la première fois, éprouver envers Mireille une sorte de colère, de ressentiment qu'il adresse à la naïveté de ses mots et à la légèreté de sa conduite.

171

Alors, comme cette jalousie qu'il ressent est un sentiment honteux, il n'en parle pas.

Avec les autres il passe une partie de la soirée, avant le repas, à faire des parties de cartes au foyer. Lorsqu'il arrête de jouer et qu'il rejoint Février à une table, il se sent presque soulagé, c'est comme s'il ne pensait à rien.

Mais Février, lui, ne pense pas à rien. Il boit sa bière et demande à Bernard s'il ne veut pas sortir d'ici, trop de bruit. Dehors ils marchent lentement, le temps pour Février de raconter son dépit lorsqu'il a vu dans le sac de courrier que cette fois encore il n'aurait pas de lettre, aucune, pas même ses parents mais eux, bon, ils ne savent pas écrire, et ses frères et sœurs pourraient écrire eux aussi mais non, et Éliane.

Seulement elle.

Comme une crampe au ventre, au cœur. L'injustice et toujours, encore, l'espoir idiot qui s'accroche alors que Février et Bernard savent l'un et l'autre ce qu'elle ne veut pas dire, Éliane, et que pourtant elle signifie en n'envoyant plus aucune lettre.

Puis, dans un rire, Février raconte qu'aujourd'hui encore avec les copains on est allés voir les filles. Ce n'est pas la même que la dernière fois qu'il a vue. Il dit,

Une autre, plus jolie, une blonde avec des seins énormes, t'aurais vu. Cette fois j'ai vraiment eu envie de l'allonger sur le lit et puis de lui toucher les seins, je deviens fou avec ça.

172

Et il rigole. Bernard aussi se met à rire.

À la guerre comme à la guerre, c'est comme ça qu'on dit, non ?

Mais non.

Je me suis contenté de faire comme l'autre fois, j'ai pensé à Éliane et je me suis dit que ça ne pouvait pas être fini, pas comme ça, je crois pas, non, elle peut pas me faire un coup comme ça.

Alors ?

Alors j'ai baissé mon pantalon et je suis resté debout comme si j'étais au garde-à-vous.

Et ils rient tous les deux à cause de l'image absurde et incongrue. Puis ils se taisent, et Février ne dit rien de son envie de pleurer et de l'effort à faire pour ne pas le montrer.

Et puis, il y a ce médecin qui est venu d'Oran avec eux, et la visite médicale où chacun va de son couplet sur la faim et le ras-le-bol de la même nourriture, non pas infâme, mais tellement toujours la même chose. Le médecin entend les mêmes mots partout, dans tous les postes, dit-il, comme si ça devait les rassurer ou les calmer de savoir que d'autres aussi partagent les mêmes tracas. Le médecin dit qu'il n'y peut rien, mais ils sentent à son regard perplexe qu'il les comprend, oui, des hommes si jeunes devraient manger plus.

Et c'est en sortant de la visite que Bernard les voient, Idir et Châtel, dans la cour : Idir, furieux, qui provoque Châtel et lui lance des pichenettes qui deviennent des claques, toujours au même endroit, qui soudain résonnent et viennent ponctuer les mêmes mots,

Qu'est-ce que c'est, qu'est-ce que tu veux dire ? Qu'est-ce que tu me veux ?

Et Châtel qui au départ sourit et ne croit pas au sérieux de l'autre ; puis son sourire se fige lorsqu'il comprend qu'Idir ne plaisante pas et il devient très pâle, il ne répond pas, ou vaguement, rien, la voix tremblante, presque aussi blanche que lui et la poussière soulevée dans la bousculade.

Au départ, les autres hésitent. Certains pensent les séparer. Puis d'autres disent,

Non, on va rigoler un peu.

On rit, c'est vrai, et on commence à faire quelques paris, deux ou trois cibiches, on forme un cercle dans la cour, on se resserre, on crie et Idir est de plus en plus furieux parce qu'il sent que Châtel se refuse au combat, qu'il ne voudra pas frapper. Idir pense que c'est de la lâcheté, Châtel est un lâche, c'est tout, et Idir commence à l'injurier parce qu'un homme qui en défie un autre doit être prêt au combat, à se défendre, pas comme Châtel qui fait des allusions sans les assumer.

Bernard approche, il demande à Nivelle pourquoi on va se battre.

Parce que Châtel a dit que ce qu'on fait ici c'est dégueulasse et que les harkis sont des traîtres aux

Algériens. L'autre a pas aimé. Il a dit que sa famille a besoin de bouffer et que l'armée c'est un boulot comme un autre, et qu'il est français comme un autre.

Alors ils vont se battre.

C'est-à-dire, Châtel ne comprend pas vraiment ce qui arrive et il reste inerte, à peine électrisé par les coups dans son épaule, son corps qui bascule à chaque coup, ses hanches, ses jambes, ses pieds qui suivent le choc et pivotent légèrement en arrière puis reviennent, se redressent et décrivent un arc de plus en plus largement. Les autres rient d'abord, puis, comme il ne réagit pas, l'injurient, le traite de mauviette, petit pédé, c'est pas vrai, tu vas pas lui en coller une ? Et Châtel de plus en plus livide cherche dans l'assistance quelqu'un qui pourrait l'aider, le sauver, le comprendre, lui expliquer pourquoi il est là, maintenant, et qu'on va le frapper, qu'un Algérien va le frapper, lui qui défend les Algériens. Il ne comprend pas. À vrai dire, il voudrait simplement s'excuser, dire qu'il n'a pas voulu être offensant. Mais les autres le poussent à frapper. Alors il frappe quelques coups maladroits et mous, comme si la fatigue l'empêchait de viser, comme s'il n'avait aucune force dans les bras.

Le caporal approche et personne ne fait attention à lui. Il regarde la scène sans rien dire. Idir frappe, un coup, un seul coup et Châtel s'écroule et tente de se relever, puis retombe sous les cris, les rires, ils s'amusent, il les amuse et au lieu de le mettre en colère Châtel sent en lui quelque chose qui s'effondre dans sa poitrine et les mots et les rires le lacèrent aussi bien que les coups, on lui dit de se relever, de se battre, et lui essaie, il essaie, il voudrait essayer encore, mais tout en lui refuse, son corps ne veut pas, il le sait mais il voudrait lutter aussi contre lui-même.

Le caporal entre dans le cercle et demande qui a commencé. Idir se défend, il raconte que l'autre l'a injurié, qu'il a dit que –

Et puis il se tait, il refuse de parler.

Châtel se relève et regarde tour à tour le caporal, Idir, les autres gars autour d'eux. Il dit qu'il s'excuse. Il jure qu'il ne voulait pas offenser Idir, ce que l'autre ne veut pas croire – mais la voix du caporal vient pour tout interrompre, on est quitte, ça suffit. Tous les hommes ici sont français et tous sont sous ses ordres.

Le lendemain, l'événement qui domine la journée ce n'est pas la bagarre de Châtel ni ce qui reste pour chacun de la parole du caporal. Comme si tout à coup tout ça datait d'un autre temps, lointain. Parce que la voix du caporal n'aura pas cet élan pour leur apprendre, dans la cour où tous vont être convoqués, l'enlèvement du médecin à son retour vers Oran. On parle d'une embuscade. On parle de coups de feu et on explique qu'une voiture est tombée entre les mains des fells.

La voiture a été retrouvée avec deux gendarmes égorgés. Le médecin n'était pas dans la jeep.

Et le sentiment d'impuissance est plus fort encore lorsqu'on apprend que ce sont des hommes d'une autre section qui vont venir interroger les gens du camp, et des légionnaires aussi, fouiller dans les collines. On se dit qu'on n'est capables de rien, un moment on se sent méprisés et inutiles.

On ne se rend pas compte que pour cette fois on nous évite le sale boulot.

On se sent en colère et la colère, le soir, au moment d'aller au foyer, on la devine dans ses poches lorsqu'on les vide peut-être plus frénétiquement que d'habitude, pour une cigarette mais surtout pour une canette : on se bouscule au comptoir, ce soir-là peut-être plus que les autres. On boira des bières, personne ne jouera au baby-foot. Et même les parties de cartes se feront sans un cri, sans un rire.

Un silence de plus.

Et lorsque Février entre dans la chambrée, sa canette à la main, il reste un moment interdit : Bernard et Châtel sont là, assis tous les deux l'un à côté de l'autre, chacun les mains jointes, le front baissé, les yeux fermés. À peine s'ils bougent lorsqu'il entre. Mais il reste là, il ne sort pas. Il est gêné, c'est sûr, mais il comprend.

C'est seulement après qu'on parlera.

Il dit : C'est pas la prière qui va l'aider, le toubib.

C'est peut-être nous que ça peut aider ?

Bernard, tu crois ça ? Tu crois ça, vraiment ?

Je sais pas. Je sais que ça m'aide, moi.

Oui, mais le toubib ?

Et lorsque Châtel veut parler, il n'a pas le temps d'ouvrir la bouche ni même d'esquisser un geste, Février ne lui laisse pas le temps,

Toi, t'iras lui expliquer ça à sa femme, au toubib, que c'est nous les enfoirés, hein, t'iras. Va lui dire ça.

Châtel ne répond pas.

Il reste comme ça, figé, le regard fixe sur Février, parce que c'est la première fois qu'il l'entend parler sur ce ton-là, avec cette violence. Ce tremblement aussi, léger, imperceptible, comme une vibration, de la peur à peine dissimulée par le mouvement de la main qui porte la canette à la bouche ; et le bruit de la bière lorsqu'elle arrive au goulot, et la gorgée de bière où pendant une seconde on entend la déglutition et le silence, juste après, la peur pourtant dans l'air, dans la façon subite de reprendre son souffle, pour lui, Février, mais pareil pour Bernard et Châtel.

Et puis alors Février recommence à sourire ; il montre la canette,

Les gars, chacun son bon Dieu, après tout.

Et la nuit, maintenant, c'est autre chose. On entend dans le calme non pas la paix, la douceur de la fraîcheur mais la crainte, c'est la crainte qui vient, lentement au départ, parce qu'on pense au médecin, aux deux gendarmes retrouvés massacrés : et l'on évite de se dire qu'on aurait pu être ceux-là auxquels on repense, qu'on revoit partir sur le sentier dans l'après-midi et dont on sait maintenant que la vigilance et les armes à portée de main n'auront servi à rien. C'est la nuit qu'on y pense le plus, et on ne le dit à personne. Parce qu'il faudrait dire pourquoi on a la diarrhée, pourquoi les coliques et le manque d'appétit, pourquoi on boit des litres d'eau et que toujours on a soif.

Quelques jours plus tard il y a ce corps qu'on trouve pas très loin de là où, le même jour, seulement quelques heures plus tôt, on avait retrouvé des poteaux télégraphiques sciés.

Ils se disent,

C'est pour ça que les fells ont fait tomber les poteaux télégraphiques. Parce qu'ils savaient que quelqu'un viendrait les réparer et alors trouverait le corps avant qu'il ne soit dévoré par les bêtes, les chacals, les chiens errants, avant que le soleil n'ait fini de le ravager, de le brûler, de le rendre méconnaissable, pour qu'il soit suffisamment intact encore, on pourrait dire, *lisible*, oui, pour que chacun comprenne bien ce qui a été dit ici, ce qui se dit à travers lui. C'est pour ça que les fells avaient scié les poteaux. Pour qu'on revienne ici et qu'eux puissent laisser un cadavre sans risque d'être pris ou repérés, sans personne aux alentours.

Voilà ce qu'on suppose.

Et revoir les hommes qui viennent prévenir le poste. Les types venus réparer les poteaux et les types venus les protéger. Quand ils préviennent d'abord par radio. Et les hommes qui embarquent dans le half-track sanitaire, dont Nivelle et Bernard, le fusil à l'épaule, sans autre information, sans trop savoir ce qu'on va trouver là où l'on va. Même si l'on se dit. On imagine. Parce que l'infirmier vient avec eux, c'est-à-dire qu'on vient avec l'ambulance. Et la poussière sur la piste. Le vent qui claque sur la tôle de la voiture et la bâche sur laquelle est peinte la croix rouge, le sable comme de la grenaille, les soubresauts de la piste, les hoquets du moteur, ses ronflements lourds et les vibrations sous les pieds à travers le plancher, et le souffle retenu, déjà : on regarde droit devant soi et puis aussi sur les côtés la ligne des oliviers au loin, on sait qu'il y a l'oued en contrebas, cette route que maintenant on connaît et cette peur qu'on sent monter en soi, qu'on connaît déjà aussi.

Puis on arrive au point de ralliement. On est accueilli, on voit une jeep, le radio.

Ils entendent la voix du capitaine qui s'agace et s'accroche au combiné de l'émetteur,

Négatif ! Négatif !

Et eux ne comprennent pas. Des hommes un peu plus loin fument et regardent par terre, ils sont d'une pâleur qu'on ne remarque pas encore ; avec eux il y a un Arabe en djellaba. Le combiné toujours dans la main, soudain le capitaine se tait puis les regarde :

Il est à vous.

Il désigne la masse dont on aperçoit la forme au pied d'un talus, près d'un des poteaux qui a été sectionné à sa base et qui penche dans le vide, pas encore entièrement tombé.

On sait déjà qu'il s'agit d'un corps. Et Bernard se demande, est-ce qu'il va voir un homme égorgé ? Bernard repense à toutes les histoires qu'on entend en France, dont il a entendu parfois des échos, chez lui, sur le marché le dimanche, lorsqu'on parle des terribles corps mutilés, de ce spectacle affreux qu'on a essayé de se représenter sans jamais vraiment y parvenir. Et il regarde à quelques mètres, là-bas, à côté du talus, cette forme. D'abord, il aperçoit non pas le corps

180

mais seulement les pieds nus de l'homme, des pieds crasseux et blanchis par la poussière, comme aussi le pantalon. Il se dit que les hommes qui l'ont tué ont gardé ses chaussures.

On avance lentement. On parle encore, puis on se tait, on se racle la gorge et on échange des regards, oui, on y va – le corps dans une étrange position qu'on ne comprend pas tout de suite, comme s'il était de côté, le bras droit caché et la tête de profil, en arrière, comme si le menton était très en avant et la gorge offerte – mais la gorge n'est pas ouverte, on voit la bouche béante et les yeux déjà très noirs enfoncés dans les orbites brunes, tuméfiées, et les cheveux presque gris à cause de la poussière, et tout ce sable dans les cheveux, sur la peau tendue, cette couleur étrange et presque cassée aussi de la peau pas encore tannée, non, pas encore brûlée totalement parce qu'il reste encore sous la peau et la forme du crâne un visage, des traits, on pourrait le reconnaître, presque, déjà presque plus, ce sera bientôt fini mais c'est encore là, un humain, un peu, sous la naissance de la charogne, c'est ce que Bernard se dit, croit, imagine – ce visage de profil où la joue comme un trou pourrait ouvrir une seconde bouche, et la chemise dont le col est attaché jusqu'au cou, la main, le bras gauche qui part sur l'arrière et laisse flotter sur la poitrine, au-devant, attachée par une épingle à nourrice, une feuille de papier dont le bas bouge légèrement, oui, remue, presque rien, et alors on regarde de plus près le pantalon couvert de taches, l'odeur atroce déjà, les taches, on comprend ce qui a dû arriver, et l'infirmier approche du corps, il le

181

contourne et arrive au niveau du torse. Là, il se penche, puis il hésite, il dit,

Non,

Il répète pour lui-même, un murmure,

Non,

Se redresse, regarde les autres et,

Putain, putain, merde,

Son visage soudain livide puis quand même il se retourne vers le cadavre et arrache la feuille ; il revient vers les autres pour leur montrer.

D'abord, ce qu'on voit, c'est une image. On comprend l'idée des fells. Ils vont la placarder partout, ils vont en faire un instrument de propagande.

Soldats français, vos familles pensent à vous, retournez chez vous.

Et Bernard ne regarde pas l'image, il avance vers le corps, il veut voir, maintenant, il veut savoir et la première chose qu'il regarde c'est si le corps est mutilé à la place de la gorge. La gorge est intacte. On voit le poil de plusieurs jours sans rasage, la glotte et la peau très tendue.

Bernard reste un instant comme ça, et il s'étonne de l'absence de sang sur la gorge. Il refuse de voir ce qui va lui crever les yeux plus tard, parce qu'on ne lui a pas dit que ça aussi c'était possible.

Au retour, on ne peut pas encore accepter vraiment d'avoir vu ça. Et ce n'est pas le sable, la désolation, pas même la relative fraîcheur de ce matin et les haut-le-cœur que tous vont connaître, les uns après les autres, jamais en même temps, comme si pour chacun il fallait un temps à soi, qui changeront quelque chose à ce – comment dire, ils ne savent pas comment dire ce qu'ils voient lorsque, enfin, ils se décident à déplacer le corps et à le mettre sur le dos.

Et après, au poste, à ceux qui n'auront pas vu, ils ne feront que raconter la poussière et le silence, les mouches déjà s'attaquant au corps et aussi les détails, tous les détails dont on peut affubler son récit pour retarder le moment où il faudra montrer et dire – les autres, au réfectoire, très vite ils comprendront qu'on leur cache une chose, la vérité, c'est-à-dire, pas la mort du médecin, pas même que cette mort est récente, à peine la veille sans doute ou ce matin, mais alors comment dire à des gars qui attendent, aussi incrédules et pas encore en colère, juste curieux, avec cette légère peur ou appréhension qui les tient éveillés et tendus dans leur curiosité, mais pas encore retournés et révoltés comme ils le deviennent, après, lorsqu'ils savent.

Leur dire : il était vivant quand on lui a fait ça.

Ils ont fait ça sur un homme vivant et ont coupé la chair, les muscles. Tout, jusqu'à l'os. Ils ont raclé du poignet jusqu'à l'épaule. Et on peut se dire que l'homme a vu le squelette de son bras. Raclé. Arraché. Lui s'évanouissant à chaque fois, une douleur, vous comprenez, et eux, ceux qui ont fait ça, avec quoi, des couteaux, des couteaux qui raclent, lui hurlant et eux le réveillant toujours, patiemment, sans relâche ni pitié, à chaque fois, jusqu'à ce qu'il comprenne qu'on ne lui dépècerait pas seulement un bras mais qu'on arracherait les muscles, la chair, jusqu'au squelette.

Et pourquoi cette précision de l'arrêt au niveau du poignet et la même précision au niveau de l'épaule.

La mort qui est venue mais seulement au dernier moment, sur la route, peut-être, tout près de là où l'on a retrouvé le cadavre.

Sur la photo on le voit vivant, le bras déjà déchiqueté à moitié, dégoulinant de sang, et lui, le médecin, sur la photo on le reconnaît bien malgré la douleur, l'œil retourné, la bouche ouverte, debout, suspendu par des cordes au-dessous des aisselles. Et ces mots en grosses lettres au-dessous de la photographie, qui reviendront toujours :

Soldats français, vos familles pensent à vous, retournez chez vous.

Et alors, cette façon dont tout s'accélère, dont quelque chose se précipite parce qu'on a dressé une chapelle ardente dans l'infirmerie, et comment tous les hommes veulent voir parce qu'ils refusent de se dire qu'une chose pareille est possible. Alors, comment au foyer, le soir même, on s'agglutine autour du comptoir – Bernard comme les autres cherche dans ses poches de quoi boire une bière et racheter des cigarettes. Nivelle avec lui, qui n'a pas décroché un mot de la journée. Et d'autres encore ; Châtel ne sort pas de la chambrée, il prie. Peut-être qu'il pleure et redoute seulement de croiser les autres, tous les autres qui ne manqueront pas de lui demander alors ce qu'il pense aujourd'hui de la guerre de libération. Et il ne veut pas se renier. Il ne veut pas parler ni croiser Février, ni lui ni aucun autre, n'importe lequel, parce qu'il n'est plus sûr de rien penser du tout.

Il se demande si une cause peut être juste et les moyens injustes. Comment c'est possible de croire que la terreur mènera vers plus de bien. Il se demande si le bien.

Il ne veut pas sortir et préfère alors rester seul à prier. Il s'étonne que Bernard ne veuille pas prier avec lui. Bernard ne priera que tard, tout seul, lorsque la nuit sera venue et que dans le silence de la chambrée il essaiera d'oublier ce qu'il a vu. Il essaiera. Comme aussi dans le foyer il s'efforce de ne pas interpréter ce qu'il perçoit d'un échange de regards entre Idir et Abdelmalik, comme la conclusion entre eux d'une discussion depuis longtemps en cours, et même, une sorte de provocation d'Abdelmalik envers Idir. Parce que tous les deux doivent serrer les mâchoires et savoir se taire lorsqu'ils entendent les gars parler des Arabes en disant des chiens, tous des chiens, rien que des chiens, tous — et ils ne parlent pas des fells lorsqu'ils emploient ces mots-là, non, ils parlent des Arabes, comme si tous les Arabes, comme si.

Et les deux harkis ne disent rien. Ils attendent. Ils regardent.

Comme si eux seuls n'avaient pas oublié où ils étaient nés.

Et dès le lendemain le branle-bas est total. C'est la première fois que Bernard voit autant de gens dans le poste.

Des renforts sont arrivés tôt, au petit matin. Parmi eux, Bernard reconnaît Rabut et d'autres gars stationnés à Oran. Il y a plusieurs sections. On va quadriller le secteur, on reste comme ça, le matin, presque une heure, on ne sait pas encore comment on va agir, si l'on va agir. Pour la première fois dans le poste c'est autre chose que la routine et la lenteur, autre chose encore que cet ennui dont chacun ici ressent depuis des semaines et des semaines le poids sur son moral, son intelligence, son corps, comme si chaque jour on s'engourdissait davantage pendant que d'autres, là-bas, dans les collines, égorgent et dépècent nos amis.

Alors cette fois il sent dans le poste une sorte d'énergie et de colère à la façon dont on se prépare ; il lui semble même au matin qu'aucun d'eux n'a assisté à la levée des couleurs comme on le fait chaque jour – et cette fois dans le ciel bleu il y a comme une envie de sortir et de courir, de crier, de dire qu'on veut en finir et certains pensent qu'une fois dans les collines, une fois qu'on se sera battus, alors on sera nous aussi des soldats qui auront connu le feu et on pourra rentrer chez nous et reprendre la vie normale dans les champs et les usines. Et ne plus avoir peur. Ne plus avoir mal au ventre, ni faim, si souvent faim, si souvent envie d'en finir avec ces latrines puantes et cette odeur si rance de sueur dans la chambrée. Et Châtel avec ses prières et les mains jointes, le missel de Bernard, sa carte postale d'une vierge phosphorescente au-dessus de son lit, et les autres, chacun avec ses tics, ses histoires, et tous les cafards et la vermine qui circulent entre nous, les puces, les mor-

186

pions, on a beau se laver, et les mêmes journées sans fin, on se dit,

Cette fois on va finir de déchirer les dernières paires de socquettes déjà trop usées dans les rangers où nos doigts de pied saignent même quand on ne marche pas, dans la pierraille les pieds vont saigner une bonne fois pour toutes et après, après peut-être que ce sera fini et au lieu de ces quatre jours de permission pour le 14 Juillet on nous dira,

C'est fini, vous pouvez rentrer chez vous et merci la paix est revenue en Algérie,

Simplement parce qu'on aura déniché dans des trous des vieux fusils de la guerre 14-18, et au fond de caches improvisées dans des grottes, des types maigres comme la mort, les yeux fiévreux et brillants comme des cierges de Noël.

Et ce sera fini.

C'est ce qu'on se dit, qu'on attend. Ce sera fini. C'est comme ça qu'on part, tous, et on finit par espérer la marche horrible et les orteils boursouflés, les talons craquelés ou la peau qui éclate comme une bulle translucide, des bulles, des ampoules et le pus suintant, les ongles noircis, prêts à tomber, le sang dessous. On veut y aller. Même si l'on sait qu'il va faire chaud, qu'on portera en file indienne la quincaillerie de grenades et les pots fumigènes – et malheur à celui qui traînera, les traînards trébuchant, les plantes de pied roulant sur les pierres, le poids des sacs, des cartouchières, des fusils pendant qu'en marchant pas un seul alors ne pensera à la quille mais

187

trouvera l'énergie pour marcher sous le soleil en se disant,

La vérité c'est l'humiliation,

Les pratiques interdites, mon cul – les punitions tombent sur nous comme une armée de grenouilles dans les récits bibliques, corvées, brimades, pompes interminables, changements de tenue et tours de cour le fusil au-dessus de la tête, la culasse entre les dents et aussi les poubelles énormes et sans anses des réfectoires, gluantes, les détritus, nos merdes, nos rebuts, repas, ragougnasses, des viandes sèches, semelles, pain moisi et tout le barda d'asticots, de boîtes, bouillies et les patates et les fayots le tout dégoulinant de poubelles obèses, et les traîner, les faire glisser et ramper sans dégueuler à cause de l'odeur, sans tomber et rouler jusqu'au camion – on trouvera bien une âme compatissante, séminariste, bleubite, étudiant, citadin, toutes les mains blanches pour se débarrasser sans négocier de cette vacherie, celle-là ou une autre, notre cul dans les djebels à chercher et trouver enfin un ennemi, n'importe lequel, des fuyards, des fells, bandits, hommes, femmes, ombres, chacal ou cheval ou même seulement un mouvement dans les broussailles, quelque chose d'un peu plus épais qu'un cauchemar sous les arbrisseaux et les végétations rampantes,

Voilà ce qu'on veut, qu'on en finisse.

On décide de laisser les jeeps et les half-tracks près de l'oued. On va continuer à pied. Certains vont rester là, et Bernard et Idir font partie des quelques gars qui vont attendre le retour des deux sections.

Ils regardent les autres partir entre les rochers. Bernard ne saura pas ce qui va se passer, ou alors il devinera les baïonnettes ouvrant le sol meuble pour y trouver des entrées de caches, les hommes qui pendant des heures regardent le sol, sondent la terre et les buissons, les touffes des arbrisseaux. Et comme ils ne trouvent rien ils avancent plus profondément entre les rochers et ressentent déjà la frustration, la vexation de rentrer bredouilles d'une chasse dont on ne connaît pas le gibier.

Il faut aller loin pour trouver plus que les villages rasés et désertés par les habitants, pour croiser, comme marque d'une présence humaine, autre chose que des boîtes de maquereaux au vin blanc dans la poussière et la pierraille. Alors, à force, on avance et parfois on entend au-dessus de soi le ronronnement du Piper, gros comme un jouet et dont l'ombre comme celle d'un oiseau rigide et obstiné revient sur les mêmes bouts de branchages noirâtres et déjà brûlants pour nous guider, nous aider. Mais il n'y a rien que des touffes assoiffées qui cherchent l'eau comme nous les fells, les fusils, les caches, et alors on réajuste sur l'épaule gauche le foulard bleu qui sert de reconnaissance, parce qu'on se doute bien que les seuls qu'on risque de croiser ce sont les nôtres, mais on ne sait jamais, on ne va pas se tirer dessus.

Et dans le lointain on cherche quelque chose pour se dire il faut continuer et supporter la chaleur et les ronronnements de l'avion et les grands cercles qu'il trace parfois au-dessus de nos têtes lorsqu'il y reste trop longtemps – et cette exaspération aussi devant toujours les mêmes palmiers avec leur chevelure verte et les fûts très grands et écailleux des dattiers, les lauriers-roses partout, increvables, cette saloperie qu'on trouvait si belle au début, et ce ciel très bleu, bleu de l'infinie monotonie des cartes postales, les abeilles aussi, parfois, et les mouches, toujours.

Et lorsqu'on arrive enfin dans un village, on se déploie de telle manière qu'on l'encercle, et le cœur cette fois palpite parce qu'ici le village n'est pas déserté : on a marché si loin que la zone interdite, inhabitable, a été dépassée depuis longtemps.

Et alors, lorsqu'ils nous voient, les habitants doivent hésiter, incrédules devant les hommes qui arrivent vers leurs maisons en courant, arme à la main – une femme reste au milieu, devant eux, des branches d'osier sur la tête qu'elle retient d'une main et reste interdite, elle met du temps avant de comprendre, de savoir, et puis se retourne comme si de rien n'était.

Bientôt elle disparaît derrière une porte.

Et eux, Bernard et Idir, à l'ombre des jeeps, sont assis l'un à côté de l'autre. Au début on ne parle pas. Puis Bernard dit qu'il ne faut pas prendre pour soi ce que les gars disent sur les Arabes, c'est parce qu'ils ont peur et qu'ils sont en colère.

Idir comprend ça, il n'en veut à personne. Il dit,

Vous prenez les Kabyles pour des Arabes. Pour vous, tous les Algériens c'est les mêmes. Moi, je suis berbère, pas arabe.

Bernard ne sait pas quoi répondre, lui qui ne reconnaît même pas l'accent marseillais. Il voudrait dire ça

pour se défendre, il se contente de dire oui de la tête.
Il voudrait parler d'Abdelmalik, parti avec les autres,
mais il n'ose pas.

C'est Idir qui parle.

Abdelmalik, lui, ça l'énerve qu'on parle comme ça
des Arabes, il dit qu'on ne sera jamais français. Quoi
qu'on fasse. Que les gens ici on leur fait la guerre et
on dit la paix.

Il ne regarde pas Bernard lorsqu'il parle, il agite
un bâton devant lui et dessine des figures incompréhensibles sur le sable.

Et puis les autres vont revenir, et l'on reprendra la
marche.

On va marcher encore des heures, sans oser demander ce qui est arrivé dans le village – on se doute un
peu, on a entendu des coups de feu et la fumée noire
a traversé le ciel avec des relents de paille brûlée.
Nivelle n'hésite pas à raconter comment dans l'affec-
tation qu'il avait avant, avec d'autres, dans le Sud,

Oui, ça, on leur en faisait voir,

Et il se souvient d'un gars qui coupait les oreilles
des fells et les offrait à sa buraliste –

Nivelle, ta gueule, ça suffit.

On a installé un campement.

Et si l'on a peur de dormir dans les toiles de tentes,
on a plus peur encore d'être désignés pour garder le
camp improvisé.

Ce qu'on ne sait pas encore, c'est comment, alors
que le sommeil vient presque malgré soi, on va se

réveiller en sursaut parce qu'on entend le canon qui frappe dans la nuit. On se regarde, d'abord on hésite et on comprend seulement au deuxième tir que ça va durer des heures, les tirs vont durer longtemps, très longtemps, on comprend pourquoi on a installé le camp ici, si proche d'un village, pour le pilonner, c'est ça, et le sommeil ne viendra pas, on ne s'habituera pas, le corps sursautera à chaque tir, les oreilles bourdonnent déjà.

On se regarde. On sort des guitounes pour voir. C'est la nuit et parfois on voit des éclats de lumière, le sol gronde, ça résonne sous les pieds : une vibration qui s'insinue dans les os et les oreilles.

Il y a des fells, là-bas.

C'est quelqu'un qui crie, qui répète,

Il y a des fells.

Le gars à côté de Bernard dit qu'il doit y avoir des fells, qu'on ne tirerait pas sans ça, il y a des fells et comme ça il n'y aura pas de combats au corps à corps, c'est mieux, c'est ce qu'il dit, qu'il répète, et Bernard entend la voix du type, sa voix qui tremble et ne croit pas ce qu'elle dit, ses yeux brillants dans la nuit.

Et le lendemain on se lève, le corps endolori, les muscles durs, c'est l'aube, très tôt. Partout il y a l'odeur de poudre dans l'air et ce silence quand il faut marcher dans le gris du petit jour, jusque là-bas, vers ce village dont on ne voit rien pour l'instant que l'ombre qui se dilue dans la fumée noire – l'odeur déjà, même de loin, les odeurs de cendre, on n'ose pas encore se dire qu'on pense à la chair brûlée, des odeurs qu'on ne connaît pas encore.

Le lendemain, c'est une journée de grande fatigue et de silence sur le poste.

Une journée où Rabut est là, parmi les renforts. Il doit repartir le soir même, lui et les autres. Le poste dans quelques heures va redevenir celui d'avant. Puis il y aura le 14 Juillet, et pour certains ce sera une permission à Oran de trois ou quatre jours.

Mais en attendant on reste là, ça dure quelques heures un peu étranges, très longues, interminables. On attend que toutes les sections se retrouvent ici pour qu'elles puissent repartir ensemble. Bernard fait semblant de ne pas savoir ce que Mireille lui a confié dans ses lettres, qu'au moins deux ou trois fois elle a vu Rabut, et que deux fois elle a dansé avec lui, l'après-midi, dans un dancing. Il se demande ce que Rabut fait là, il a hâte que celui-ci reparte avec toute sa compagnie. Qu'on retrouve le calme et presque l'ennui, la léthargie d'avant. Il voudrait somnoler et attendre, tranquillement, calmement, l'heure de la permission à Oran.

Il a déjà écrit à Mireille pour lui dire qu'il serait là pendant quatre jours.

Le poste bientôt se remplit de toutes les sections. Jamais on n'a vu autant d'hommes ici, surtout au foyer. On n'a pas trouvé d'armes. On n'a pas trouvé de fellagas.

On a pourtant l'impression de s'être battus, d'avoir connu quelque chose de la guerre, mais on ressent d'abord une grande fatigue, l'envie de retirer les rangers, de soigner les pieds qui font atrocement souffrir, de boire une bière, de dormir. On va jouer aux cartes et essayer de penser à autre chose ; parce qu'on a hâte aussi de savoir le corps du médecin loin d'ici.

On voudrait que tout soit fini.

Bernard et Rabut comme toujours restent ensemble, assis l'un à côté de l'autre sur les marches du foyer. Ils ne parlent de rien. Bernard ne dit rien. Ni des heures passées à ruminer sa colère en relisant les mots où Mireille raconte le dancing et écrivant de Rabut ce mot insupportable : *adorable*. Il ne dit rien de ça et ne demande rien non plus à son cousin, s'il est toujours fiancé à Nicole, s'il a des nouvelles de la famille.

Et même, il pourrait aussi demander des nouvelles de Mireille. Mais non, il ne le fait pas ; il croit qu'il vaut mieux ne pas montrer qu'il y pense.

Les deux cousins arpentent le poste quelques heures dans l'après-midi ; on parle avec les mécanos des moteurs des jeeps et des camions qu'il va falloir vérifier. On regarde aussi l'hélicoptère devant l'entrée du poste. Rabut disparaît quelques minutes, et, lorsqu'il revient, il a son appareil photo entre les mains. Il ne prend pas beaucoup d'images, parce qu'il n'a presque plus de pellicule. Mais quelques-unes quand même, dans le poste. Il dit qu'il les enverra à Solange et à la famille,

Je suis sûr que personne n'a de photo de toi, là-bas.

Bernard ne répond pas, il pense aux corps dans le village qu'on a bombardé toute la nuit – des femmes et des enfants, des chiens aussi, un âne et quelques chèvres. Il entend la voix du capitaine qui gueule dans le matin pour qu'on retrouve les armes et les fells, et tous qui s'acharnent et soulèvent les pierres, les cendres, la poussière. Il n'y a rien que la mort – et la figure idiote du capitaine qui crache et ne comprend pas et gueule comme un fou pour qu'on trouve ces putains de fellagas.

Lorsqu'on croise Fatiha, elle est à l'ombre d'un arbre et joue au jeu des olives, mais elle arrête tout de suite en voyant Bernard. Elle court vers lui et demande si elle peut venir voir la tortue. Bernard dit oui. Alors elle va chercher sa trottinette contre le mur de la maison et revient. Rabut lui demande de s'arrêter une minute. Elle est là, face à lui, et derrière on voit la maison et la façade décrépie.

Il prend la photo.

Lorsqu'elle les rejoint, Rabut reste un peu en retrait, et il regarde son cousin et la petite fille, ils sont tous les deux comme s'ils étaient seuls, on ne parle pas, c'est très silencieux, on entend seulement les voix des autres hommes, plus loin, peut-être le moteur d'un véhicule. Mais c'est tout. On voit, sur le sable, l'ombre de Rabut comme une bête qui rampe, et lorsqu'il regarde dans le viseur, Bernard est légèrement penché sur la petite fille, il l'aide en la retenant d'une main, elle est très attentive à sa façon d'avancer, très sérieuse, presque grave.

Rabut se demande si elle est en noir à cause de la mort du médecin, il ne sait pas qu'on ne l'a jamais vue vêtue de couleurs claires. Derrière, il y a un bâtiment de parpaings au toit très bas, et encore derrière, la colline et le ciel presque ocre de la fin d'après-midi.

Il appuie sur le déclencheur.

Et puis bientôt les sections se réunissent dans la cour, sous le drapeau. On rejoint les véhicules, déjà les moteurs ronflent, et en quelques minutes le poste retrouve le même visage qu'avant. Sauf qu'il reste des traces de pneus et que la poussière soulevée par les camions et les jeeps semble ne pas retomber, et que tous pensent au médecin, ou, plutôt, tous pensent qu'on a retiré sa *dépouille* – ce mot affreux pour parler des corps, pour parler d'un homme, comme la *dépouille* d'un lapin, d'une bête qu'on écorche pour la manger, et eux restent là avec le poids de cette absence et la soirée qui arrive, la poussière qui retombe tellement lentement qu'on dirait qu'elle flotte, et puis rien, pas de bruits, seulement les hommes du poste et les habitudes à reprendre, sauf que maintenant chacun sait que les habitudes n'en seront plus.

Parce que tous savent déjà que quelque chose a changé. On ne sait pas quoi. Rien ne va changer. Et pourtant, tout. On sait que le matin ce sera la même voix du caporal et la même mélodie,

Untel ! Au jus !

Des transistors grésilleront les premières informations, des voix gueuleront pour qu'on éteigne, qu'on baisse le son, et les yeux encore à demi fermés tous iront pisser contre le muret un peu à l'écart, au-dehors.

Et pourtant, comme les autres, sans en parler à personne, Bernard sait tout de suite comment ce n'est pas exactement pareil qu'avant l'histoire du médecin ; il sait que dans le poste l'ambiance va devenir mauvaise et tendue, qu'au coucher les autres ne riront plus lorsqu'il ne restera que la petite ampoule jaune au-dessus d'eux, au milieu de la pièce, qu'on ne rira plus lorsque Février gueulera et gueulera encore,

La quille, bordel !

Parce que chacun croira entendre dans la voix de leur copain un tremblement qu'elle n'avait pas auparavant.

Et ce qui est vrai, c'est que les gars ne trouvent pas le sommeil, ou que le sommeil vient très tard dans la nuit.

Et lorsqu'on entend que certains s'agitent dans leur lit, et se tournent, se retournent, on ne fait plus de blagues salaces, on ne fait pas allusion aux femmes ; on entend seulement le silence et parfois la voix furieuse et excédée de l'un ou l'autre qui gueule pour qu'on ne bouge plus, qu'on cesse ce bordel,

Arrêtez ce bordel !

Et alors dans la nuit les corps se figent, chacun dans son lit, et on sait que pour beaucoup la respiration reste presque bloquée et le cœur près de craquer, on entend presque l'envie de hurler qui les étouffe.

Alors, dans ces conditions, plus que jamais on se laisse déborder par la nostalgie, par le mal du pays. Et les journées deviennent lourdes même lorsqu'il n'y a pas une chaleur trop suffocante, même lorsqu'il s'agit de seulement faire des exercices de tir. Parce que pour le commandement aussi, quelque chose a changé. On a du mal à occuper les hommes, à leur faire croire que c'est important, que c'est utile, on sait que les hommes sont démotivés ; et maintenant les conversations ne sont plus si drôles ni enjouées, les journées s'étirent et les hommes semblent trouver le sommeil plutôt pendant la sieste que pendant la nuit. On passe son temps à nettoyer la chambrée. On écrit peut-être davantage encore que d'habitude. On finit par jouer aux cartes sans même regarder la partie. On ne parle que du retour au pays. On sait que certains vont y avoir droit, d'autres devront se contenter de trois ou quatre jours à Oran, et d'autres encore de devoir attendre.

On prie tous, secrètement, pour ne pas être de ceux-là.

Ceux qui réussissent à avoir huit jours et vont partir en France le savent, au retour ils devront raconter et faire un récit qui soit à la hauteur des attentes de ceux qui sont restés. Ils ne savent pas encore qu'il leur faudra raconter un trajet long et pénible, des casernes lugubres, des heures à attendre pour rien, tout ce temps perdu, de liberté gâchée, le centre de transit et une nuit au poste de garde du port, la traversée dans la nuit, étendu sur le plancher sans rien voir du gris acier de l'eau et le sommeil sans rêves.

Ils parleront et les autres écouteront dans un grand silence. Ils parleront des embrassades, et puis c'est tout. Ils ne diront rien de plus. Le reste est pour eux. Les amis, la famille, la fiancée. Et parfois aussi plus de fiancée, mais des nouvelles d'elle par d'autres, oui, elle est avec le fils Untel. Et faire semblant de ne pas lui en vouloir, et surtout ne pas chercher à la revoir pour exiger des explications, lui hurler sa déception et son sentiment d'injustice et d'abandon.

Savoir se taire, ne pas raconter non plus l'épisode du médecin, les villages. Peut-être seulement l'ennui et la routine. Mais plutôt : se taire et ne pas savoir.

Quelques jours plus tard, à Oran, c'est quelqu'un qu'on ne connaît pas qui appuie sur le déclencheur – et sur les images c'est toute une partie des copains qui est là, les plus grands sont à genoux devant les autres, la plupart ont leurs lunettes de soleil, et tous un large sourire.

Et puis, parmi les images, il y a celle que Rabut retrouvera au milieu de toutes les siennes, sans savoir comment elle est arrivée là. Une photographie qu'il aura vue aussi chez Bernard, et dont il ne saura pas qui l'a prise. C'est Bernard avec Idir, et tous les deux rient, leurs yeux plissés, on voit leurs dents et les pommettes saillantes, c'est comme s'ils faisaient des grimaces au soleil qui les éblouit. Bernard a posé son bras sur l'épaule d'Idir et derrière eux on voit le monument aux morts qui est blanc comme un os de seiche et au-dessus des petits drapeaux français flottent comme une colonie d'insectes, de papillons, d'abeilles, on ne sait pas, dans l'air bleu, c'est juillet, la fête nationale bien cadrée et surveillée par les militaires. Le défilé, les drapeaux français qui fleurissent les balcons.

C'est une fête, mais c'est aussi et d'abord une démonstration de force.

Mais pour eux ce sera autre chose ; on est en permission.

Et alors on ne pensera qu'au soleil, on voudra marcher, s'amuser, être de son âge, retrouver l'âge qu'on a et que parfois on a l'impression d'oublier dans la caserne ou le poste. Et alors on verra des images et on sentira des odeurs et on aura des pensées qui s'imprimeront dans la mémoire aussi profondément que les lames des fells dans la chair des malheureux.

Ça durera toute notre vie, ce sera aussi important que le reste et pourtant on ne saura pas que ça compte, parce qu'on ne pense pas tous les jours aux choses dont les murs de nos vies sont tapissés ; des enfants avec des cornets de pois chiches peinturlurés ou des graines de courges salées, on s'en souviendra comme on se souviendra des odeurs de sardines ou de merguez, jusqu'au dégoût, jusqu'au cauchemar. Mais pour l'instant c'est plutôt le vent du front de mer et la lumière d'Oran, les femmes aux cheveux teints au henné et les foulards noués autour, les petites boutiques de portraits, les trottoirs, les pavés ronds et usés, les voitures, 203, Aronde, le soleil bien sûr et les cigales comme un bruit de friture sur la radio, le trolleybus, Philibert, Gisèle, Jacqueline et la main de Mireille lorsque la première fois il en touche la paume et les doigts, au cinéma Mogador l'après-midi, d'abord hésitant, n'osant pas un regard vers elle qui la première se tourne franchement de son côté et le regarde, souriante, heureuse, non pas rouge et timide comme lui mais au contraire franche et simple, comme si l'évidence du geste était marquée entre eux depuis le début.

Comme les autres, il a pris une petite chambre dans un hôtel près de la gare. Un lit-cage qui grince au moindre mouvement, un lavabo et de l'eau froide, une glace fendue sur toute la hauteur qui sépare son visage en deux comme il sépare les oranges qu'il mange le matin, sur son lit.

C'est la première fois qu'il a une chambre pour lui tout seul depuis longtemps (il pourrait dire, depuis toujours) ; tant pis si le papier dessine d'horribles fleurs et que les cafards ont pris possession du lavabo et que la moisissure décolle le papier et fait des auréoles au-dessous de la fenêtre et du lavabo. Tant pis si les voisins s'engueulent une partie de la nuit. Il est seul dans la chambre et c'est ce qui compte pour lui, comme aussi la fenêtre à laquelle il peut s'accouder et regarder la ville, les trolleybus blanc et vert.

Et le matin il marche, il regarde la devanture du Grand Café Riche, le boulevard Charlemagne et la petite rue de l'Hôtel-de-ville. Il s'imagine vivant ici, ne regardant même plus le bout d'immeuble de forme ovale et le Café Brésil, à force d'habitude. Il se dit que ce serait la paix, qu'il pourrait vivre ici et y être heureux. L'ambiance de la ville lui plaît. De retour au poste, il écrira à Solange pour lui raconter toutes les choses qu'on manque lorsqu'on vit à la campagne, comme de voir tous les jeunes Arabes dans l'après-midi qui déboulent d'une ruelle avec des journaux sous les bras et vendent *L'Écho d'Oran*.

Il a le temps de réfléchir aussi, pas seulement aux derniers événements, au cadavre du médecin, à Châtel, qui est de plus en plus renfrogné et ne parle plus à personne. Il pense aux Algériens ; il se dit que depuis qu'il est ici il ne connaît que la petite Fatiha, pas même ses parents, que la population est pour lui comme pour les autres une sorte de mystère qui s'épaissit de semaine en semaine, et il se dit que, sans savoir pourquoi, sans savoir de quoi, il a peur.

Il ne sait rien, et, tout seul, en se promenant le matin très tôt dans Oran, cette idée lui fait honte.

Plus le temps passe, plus il se répète, sans pouvoir se raisonner, que lui, s'il était Algérien, sans doute il serait fellaga. Il ne sait pas pourquoi il a cette idée, qu'il veut chasser très vite, dès qu'il pense au corps du médecin dans la poussière. Quels sont les hommes qui peuvent faire ça. Pas des hommes qui font ça. Et pourtant. Des hommes. Il se dit pourtant parfois que lui ce serait un fellaga. Parce que les paysans qui ne peuvent pas travailler leur terre. Parce que la pauvreté. Même si certains lui disent qu'on est là pour eux. On vient donner la paix et la civilisation. Oui. Mais il pense à sa mère et aux vaches dans leurs champs, il pense aux nuages épais et lourds dont les ombres tombent sur le dos des bêtes et dans le ruisseau, sur les peupliers. Il pense à son père et à sa mère qui mettaient leurs mains devant leurs bouches de bébés, lui a-t-on répété, à lui et à ses frères et sœurs aussi, lorsque tout le hameau abandonnait les fermes pour se cacher dans des trous creusés par les obus et qu'on entendait les pas des Allemands tout près. Il pense à ce qu'on lui a dit de l'Occupation, il a beau faire, il ne peut pas s'empêcher d'y penser, de se dire qu'ici on est comme les Allemands chez nous, et qu'on ne vaut pas mieux.

Il pense aussi qu'il serait peut-être harki, comme Idir, parce que la France c'est quand même bien, se dit-il, et puis que c'est ici aussi, la France, depuis tellement longtemps. Et que l'armée c'est un métier comme un autre, sur ça Idir a raison, être harki c'est faire vivre sa famille alors que sinon elle crèverait de faim.

Mais il pense aussi que peut-être tout ça est faux. Qu'il ne faudrait croire personne. Qu'on ment partout. Il pense depuis toujours qu'on lui ment. Quelque chose, qui ment. Partout. Jusqu'à lui donner l'envie de vomir et de retourner tout ce qui est le monde devant lui. Il a presque envie de pleurer. Il ne sait pas pourquoi. Pourquoi le cafard et la mélancolie. Alors qu'aujourd'hui. Quatre jours. Et Mireille comme unique horizon de ces quatre jours.

Le ciel est beau, la ville aussi, ça, oui, cette impression si forte de la ville, et le sentiment qu'on ne vit pas hors de la ville. Il est tellement ébloui par ça que les discours du curé ne lui reviennent que comme un mensonge nouveau dont il ne se doutait pas, mais qui éclate devant lui : non, la ville n'est pas l'enfer, ni la tentation, ni la facilité, ni rien et soudain le curé lui semble laid et aigri et Bernard pour la première fois n'ouvre pas son missel pendant des jours.

Il se demande si la façon dont Châtel pense à Dieu n'est pas plus juste que la sienne. Puis il ne se demande rien.

Idir lui a proposé de venir boire le thé chez ses parents. Bernard a accepté, au départ un peu surpris. Il n'a pas l'impression d'être très proche d'Idir, mais certainement plus que d'Abdelmalik, c'est sûr, mais, ça, c'est plutôt facile parce que, c'est vrai aussi, Abdelmalik ne parle pas beaucoup, ni à lui ni à personne. Alors, être plus proche d'Idir, c'est la moindre des choses.

Lorsqu'il est accueilli et qu'on lui offre le thé, Bernard est très impressionné. Et pas seulement parce qu'il est dans une famille arabe, avec tout ce qu'il ignore du folklore et des gestes, mais aussi parce qu'on se met en quatre pour le recevoir, comme s'il était un homme important, voilà, c'est ça qu'il ressent et qui le gêne un peu parce que c'est trop, cette prévenance, cette amitié, le cérémonial autour de ce thé que la mère va servir – et le grand-père qui tient absolument à montrer ses médailles d'ancien combattant, et son bras perdu à Verdun dont il parle en tâtant comme un trophée le vide dans la manche de sa veste, repliée et agrafée à la hauteur du coude ; et cette gêne, presque, qui monte, qui étouffe Bernard face à Idir et sa famille, comme soudain le flottement d'une mauvaise conscience. Il se demande pourquoi il aurait mauvaise conscience, de quoi, pour qui, et il repense à Abdelmalik et ce qu'Idir a répété de lui,

On pourra faire ce qu'on veut, on ne sera jamais français.

Et il se dit que cette fois il est face à des choses qu'un paysan comme lui ne peut pas comprendre ou dont il ne peut avoir que des idées fausses, il aurait fallu faire des études, avoir fait des études, avoir connu plus de choses, plus de gens.

Alors il se trouble au moment de remercier et de saluer la famille d'Idir pour son hospitalité. Il se confond en remerciements, il bégaie, ne sait pas pourquoi, il sait confusément qu'à personne il ne dira être venu ici. Et cette pensée le dérange. Il se demande pourquoi il aurait honte d'être venu ici et pourtant il se sent mal à l'aise, comme s'il trahissait les siens, alors que non, les harkis sont les nôtres, Idir est l'un des nôtres, peut-être parce qu'il a été surtout gêné qu'on se montre honoré de sa présence, lui qui, au village, a tant de fois rigolé avec les autres des *bicots* et des *négros*, sans en avoir jamais croisé un seul que dans les récits des grands-pères parlant des tirailleurs sénégalais – des géants qu'on foutait en première ligne pour effrayer les Boches.

Mais les idées et les questions s'évaporent au moment de retrouver la petite bande qui chaperonne

Mireille. On fait la visite, on explique l'ancienne préfecture sur la place Kléber et la nouvelle, non, on ne la verra pas, elle est atroce. Puis les lions qui gardent l'entrée de l'Hôtel de ville. Et après ce sera le quartier Choupot, duquel on ne va pour ainsi dire pas bouger, avec les ficus de ce même vert que celui des bancs pour attendre le trolley ; et, en remontant, Mireille montre, sur la droite, le Météore – on va y venir, c'est ici qu'on vient danser, tu verras, c'est formidable, dit-elle.

Il y a un magasin de disques. Lorsque Mireille désigne l'une des pochettes en vitrine, Bernard ne la regarde pas et fait d'abord semblant de ne pas avoir entendu. Il se demande s'il est le seul garçon de son âge à n'avoir jamais eu de disques à la maison. Mais non, il sait qu'il n'est pas le seul. Que Mireille est plutôt seule dans le sens inverse. Il se demande pourquoi elle peut être intéressée par lui qui ne connaît rien. Il veut bien apprendre, mais pour ça il faudrait reconnaître qu'on ne sait rien, et ça, il ne veut pas.

Lorsqu'elle montre une autre pochette, il ne répond pas, il avance, il dit que de toute façon, lui, la musique. Mais Mireille dit alors qu'elle aime la musique pour deux, qu'elle fait un peu de piano mais Chopin ça me barbe, tant pis, c'est mon père. Elle préfèrerait faire des choses modernes, des choses dansantes.

Et en parlant de danser on va aller chez Mirailles, en face de chez le boulanger, on mangera des petites assiettes de kémias sur le comptoir en écoutant le juke-box le volume à fond.

C'est ce qu'ils font. Mireille ôte ses larges lunettes de soleil vertes qu'elle laisse à côté d'elle comme un petit animal de compagnie. La musique recouvre les conversations – Philibert propose à Bernard de venir avec lui à la pêche sous-marine. Il raconte qu'il possède un cabanon au bord de la mer, là-bas, depuis le cap Falcon jusqu'à Saint-Roch, quand on sort de la montagne, il y a la plage et les cabanons sont collés contre les rochers, et Philibert raconte qu'il y passe un temps fou avec ses copains Lopez et Segura, quand on n'est pas au boulot, et, en désignant Mireille d'un clin d'œil, il dit à Bernard, c'est un super endroit pour emmener une fille.

Plus tard, dans l'après-midi, Mireille doit rentrer. Il y a une visite chez elle, ses parents exigent qu'elle rentre tôt. Gisèle et Jacqueline sont là pour veiller, mais elles acceptent de ne pas raccompagner Mireille et de laisser Bernard marcher seul avec elle jusqu'à sa porte. Il ne voit pas la ville, il serait sans doute incapable de refaire le même chemin, et d'ailleurs il se perd au retour, et, s'il ne tombait pas par hasard sur Philibert, alors peut-être il ne retrouverait pas le chemin de l'hôtel.

C'est que la voix de Mireille résonne dans sa tête, comme toutes les promesses qu'on se fait à voix douce, tranquillement, comme si l'on ne parlait que du beau temps et des roucoulades pour se plaire, pour se séduire. Mais non, ça, c'est déjà fait, on est déjà ailleurs. Avec Mireille on a parlé d'aller vivre à Paris, et même, sans le dire vraiment, de se marier. Parce que même si le mot n'est pas dit, on parle de l'avenir, on dit : après l'armée. On dit : ce qu'*on* fera après l'armée, et non pas ce qu'il fera, lui, Bernard. Mais ce *on* est lâché comme ça, au détour d'une phrase que tous les deux font semblant de ne pas relever, comme si déjà tous les deux étaient mariés. Et peu importe les parents. Pour lui c'est facile, il dit ne pas vouloir retourner chez lui.

Il dit : Je voudrais ouvrir un garage.

Cette phrase qui tombe comme ça. C'est comme si maintenant il osait tout, qu'avec Mireille rien n'était impossible. Il va partir de chez lui, il va changer de vie, c'est sûr, cette fois il le sait, un miracle a eu lieu et c'est elle, là, qui est venue vers lui, elle dont il s'étonne de ce qu'elle peut bien lui trouver de si, de tellement, enfin de, il ne comprend pas, il ne voit pas, mais bon, tant mieux, seulement tant mieux.

Il sait que parfois la question devient une inquiétude, l'inquiétude une angoisse. Il a peur que tout à coup le miracle s'arrête comme il a commencé, et de recevoir comme déjà tellement de copains, une lettre, quelques mots : *Je ne t'aime plus.*

Il dort mal, et, le lendemain matin, il se sent un peu nauséeux. Février vient frapper à sa porte, on va passer la journée ensemble parce que ce soir, déjà, c'est le retour. Il faudra être à la caserne à dix-sept heures trente pour arriver au poste en début de soirée.

On aurait préféré ne rentrer que le lendemain matin, mais ce ne sera pas possible. On a beau faire, on sait que pour tous il faudra converger vers la caserne (et tous, qui doivent s'y résoudre au moins en esprit, presque malgré eux, où qu'ils soient, dans la ville ou plus loin sur une plage, mais chacun faisant déjà le chemin dans sa tête, se présentant à la caserne, racontant aux copains deux ou trois blagues plus ou moins bien senties ; et alors, aussitôt, sans réfléchir, veiller à se préparer, se réunir, préparer le convoi, prendre la route et retrouver la routine).

L'idée de retourner au poste est terrible ; Février et Bernard sont pris d'une fatigue dont ils n'ont même pas besoin de parler tant l'un chez l'autre ils ne voient que ça, ce reflet d'eux-mêmes.

Alors : parler seulement des trois dernières journées.

Parler de ce qu'on aura fait. De ce que ça aura été de se retrouver pour la première fois sans les copains, un peu seul, enfin, ce moment au début où on a même ressenti ça comme un abandon, un vide, et non pas le plaisir qu'on y attendait. Et simplement se laisser vivre, aller au cinéma, boire des perroquets ou des bières ou des anisettes et regarder les vitrines des magasins. Perdre son temps aux terrasses à voir les gens s'affairer dans la rue. Et puis, les copains croisés au hasard et avec qui on est resté l'après-midi, et le soir, et puis le lendemain aussi, et enfin presque tout le temps.

Une partie de l'après-midi se passe au Météore – son bar en entrant, le dancing sur le côté. Les haleines ont toutes un petit parfum d'anisette et de cous-cous, et, pour les femmes, la senteur un peu fleurie et lourde des rouges à lèvres et du fond de teint.

Février et Bernard sont à la fois excités et tendus, ils regardent les filles qui dansent avec d'autres mili-taires ou des hommes en civil, tous en costume, bien coiffés.

Ils restent un moment sans bouger, ils écoutent des chansons, et, malgré eux, l'envie leur vient presque de danser. Février, surtout. Et il ne se retient pas très longtemps – pourquoi est-ce qu'il se retiendrait de toute façon, on est là pour ça, s'amuser, on a encore quelques heures devant nous et il trouve très vite des jeunes filles qui n'attendent qu'une main pour les inviter. Elles sont assises et parcourent des yeux la salle pour trouver un cavalier. Certaines sont seules, et l'idée que personne ne les accompagne fait un peu tourner la tête de Février, qui n'attend pas longtemps avant de se lancer.

Bernard s'étonne de ne pas voir Mireille, ni même Gisèle, Jacqueline, ou Philibert et ses copains Lopez et Segura.

On s'était donné rendez-vous ici. Et soudain il s'inquiète. Si personne ne venait ? S'il fallait réinté-grer la caserne sans avoir revu Mireille ? L'idée lui paraît impensable. Alors il reste comme ça, debout. Il hésite à retourner au bar puis se dit que le bar, oui, pourquoi pas, peut-être, de là il verrait qui vient, plutôt que d'attendre ici à ne rien faire et regarder les autres s'amuser. Alors il allume une cigarette et, un peu à regret, cherche encore une dernière fois parmi les gens s'il ne trouve pas, à part Février, un visage ami.

Un visage ami, non. Mais un visage connu, ça, bon, très vite. Parce que, alors qu'il avance vers le bar, parmi les militaires, il reconnaît Rabut, dans l'entrée, qui hésite un instant puis s'approche et lui fait un signe de la main en l'apercevant.

Je t'avais pas reconnu, dit-il à Bernard.

Et c'est à peu près tout. On parle peu. On reste l'un à côté de l'autre, on se dit qu'on repartira quand même ensemble vers la caserne, oui, quelle heure, dix-sept heures, si l'on veut être là-bas à la demie. On ne se dit pas qu'on pourrait partir chacun de son côté, on ne s'aime pas beaucoup et en même temps on est ensemble dès qu'on se voit, c'est comme ça depuis toujours, et c'est encore plus vrai ici, quelque chose du pays qui relie les gens entre eux sans trop savoir pourquoi, par quelle habitude tellement vieille qu'on ne songe même pas à la remettre en question.

Rabut commande une bière. Il demande à Bernard s'il en veut une, celui-ci refuse d'un signe de la tête. Il regarde la porte, les gens qui entrent, toujours personne, aucun visage de ceux qu'il attend.

Et la déception s'installe.

Les deux cousins hésitent à entrer tout de suite dans le dancing, Rabut y jette un œil, Bernard ne dit rien en apercevant ce regard, il pense que Rabut attend peut-être, lui aussi, de retrouver Mireille.

Mais non.

211

Il se dit qu'il s'invente des histoires, que ce n'est pas parce que Rabut et Mireille ont dansé une ou deux fois ensemble qu'il faut forcément imaginer que.

Puis il veut se rassurer en se répétant qu'en amour la confiance est importante, que c'est tout, la confiance, qu'il faut avoir confiance en Mireille, c'est ce que lui expliquerait Solange, et Solange est toujours de bon conseil.

Avoir confiance, voilà.

Même si, bien sûr, c'est d'abord en Rabut qu'il n'a pas confiance.

Finalement, on retourne dans le dancing, on le fait sans se parler, seulement d'un signe pour acquiescer, c'est mieux que rester collés au comptoir. Mais Bernard regarde une dernière fois dans l'entrée du bar où hélas personne ne vient – cette idée que personne ne vienne, il regarde sa montre, est-ce que vraiment personne ne va venir ? Il se demande s'il aurait le temps d'aller jusque chez Mireille, à pied ce n'est pas si loin, il croit qu'il pourrait retrouver le chemin, même s'il n'en est pas certain.

Il s'imagine sonnant et frappant à la porte. Il s'imagine le visage de la moukère lui ouvrant, le laissant entrer dans le corridor ; mais peut-être qu'on ne lui ouvrirait pas ou bien que de l'entrée il serait surpris de voir, dans le salon ou la salle à manger, toute une compagnie de gens à table ou dans des fauteuils, des oncles, des tantes, tous en beaux costumes sombres et stricts et les femmes en robes de soirée avec des couleurs et des formes inconnues, et lui alors sous leur regard mi-amusé mi-méprisant, avec le calot dans

212

les mains et son sourire épais, son visage épais, son allure et ses plis de pantalon, il se dit qu'avec sa petite fierté de troufion il aurait seulement l'air ridicule et grotesque.

Alors, non, il ne va pas bouger. On a dit que le rendez-vous c'était ici. On ne va pas bouger. Si jamais elle arrivait au moment où il partait chez elle, ce serait trop bête, vraiment. Qu'il arrive chez elle et qu'on lui dise,

Vous avez dû la croiser en chemin, elle est partie depuis une bonne demi-heure avec son amie Gisèle.

On ne va pas bouger. On va attendre.

Puis on se tait, on regarde seulement Février qui danse et change de cavalière à chaque fois, tentant sa chance, trouvant des mots doux à glisser à des oreilles où l'on voit des boucles qui scintillent sous les lumières du dancing.

Puis Bernard revient au bar et s'installe au comptoir. Il prend une bière et se retourne dès que des gens entrent et qu'il entend des voix et des rires de femmes. Il reste seul un moment, croise des gars de sa section qui entrent et ressortent très vite en lui disant à tout à l'heure. Il répond mollement et se surprend soudain à compter les bulles de sa bière, qui montent et disparaissent, comme les voix derrière lui. Et alors il cherche encore à fumer, il lui reste des cigarettes, quelques-unes, le paquet mou dans la poche, et les allumettes, puis les mains qui tremblent un peu et soudain il se redresse, est-ce qu'il va attendre comme ça ? Est-ce que c'est possible d'attendre et de se dire qu'il va rester seul au comptoir alors que déjà, depuis plus d'une heure dix, bientôt une heure et quart, il attend ?

Rabut et Février le rejoignent au bar, ils plaisantent, rient, ils parlent fort. Leurs rires soudain agacent Bernard qui pourtant se déplace pour les laisser s'installer avec lui au comptoir.

Ils reprennent deux bières.

Bientôt le paquet de cigarettes est complètement vide. Bernard l'écrase lentement et très sérieusement, avec une grande lenteur, très soucieux de son geste, jusqu'à en faire une boule compacte, très serrée, aussi concentrée peut-être que la boule de rage et de colère dont il sent monter en lui la force – quelque chose de cette fureur dont il ne veut pas aujourd'hui, nœud noir qui se forme maintenant qu'il se demande ce qui arrive, s'il ne s'est pas trompé de lieu de rendez-vous, s'il a bien compris le lieu, ou l'heure, ou alors si quelque chose n'est pas arrivé à Mireille, à Gisèle, à quelqu'un d'autre, et alors dans ce cas pourquoi, pourquoi aucun des autres ne viendrait le prévenir, lui dire qu'il est inutile d'attendre et d'espérer voir Mireille aujourd'hui ?

Mais rien. Personne ne vient. La musique est insupportable. Le parfum des filles et les relents de bière. Les hommes en costume, tous endimanchés, laids, comme soudain tout est laid, cassant, des couleurs exagérées, une musique criarde ; et l'air soudain est aussi gris et enfumé que ses pensées deviennent sombres et noires, il sent l'agacement et les odeurs trop fortes de parfum qui lui tournent la tête.

Il ferme les yeux avant de reprendre une bière ; il se dit qu'il a trop bu. Lui qui ne boit jamais, ou si peu, cette fois la tête lui tourne. Pourtant il n'a pas bu beaucoup. Mais il y a le soleil aussi, cette chaleur à laquelle il ne s'habitue pas vraiment. L'énervement. La tension. La fatigue de sa mauvaise nuit. Cette peur soudain si forte de se dire que Mireille ne reviendra pas vers lui. Que c'est fini. Qu'elle ne veut plus le voir. Elle a compris qu'il était un simple paysan, un fils de paysans, elle a compris ça, l'autre jour, à cause de la vitrine avec les disques et maintenant elle doit penser qu'il est idiot et ignorant et rire de lui avec les autres, dans un autre bar, et peut-être même qu'elle danse avec d'autres hommes et que son nom à lui est déjà comme le titre d'une chanson qu'on a fredonnée l'été dernier et puis,

Ciao, bello.

Mais non, c'est idiot, ça ne peut pas être comme ça. Il se reproche de toujours imaginer les choses de la même façon, de cette façon où toujours il est humilié, ramené plus bas que terre, comme si c'était toujours là où il devait finir, comme une loque, comme un rien, moins que rien ; et cette fois il ne veut pas. D'ailleurs, non, il n'a jamais voulu.

Et il ne se laissera pas faire.

Il regarde l'heure. Ce n'est pas encore l'heure d'y aller. Mais l'heure avance, elle tourne, ça tourne tellement vite que bientôt il faudra se résoudre et renoncer à attendre ici et se tordre le cou comme il le fait pour se retourner dès qu'il entend des nouvelles voix, des éclats de rires – il reconnaîtrait le rire de Mireille n'importe où et aussi à n'importe quel moment, alors, l'idée de se dire qu'il va falloir partir avant de l'avoir entendue de nouveau, elle, et de l'avoir vue, cette idée-là lui paraît presque terrifiante tout à coup, c'est comme s'il se sentait perdre pied. Sans savoir se raisonner. Sans savoir pourquoi c'est à ce point, en lui, si oppressant, si inquiétant.

Et alors, il dit oui, sans réfléchir, sans savoir de quoi on lui parle.

On lui propose un autre verre et il dit oui sans réfléchir ni écouter, alors que maintenant il a mal au ventre, que la fumée et le mélange des odeurs lui tournent l'estomac. Et les deux autres avec lui s'acharnent à rire et à raconter des blagues, leurs voix si fortes, les rires si lourds, il entend ça et prend son verre et regarde une dernière fois dans l'entrée. Il dit qu'il va sortir. Il ne va pas rester ici. Les rires épais et les blagues mille fois rabâchées de Rabut et de Février lui deviennent insupportables, d'autant qu'il n'y voit qu'une façon de le provoquer, on le cherche, c'est ça, on le titille, comme ça depuis dix minutes, au moins, une manière sournoise de lui chercher querelle, de l'agacer davantage, encore, et de rire de lui – et d'ailleurs il a cru voir un geste, c'est sûr, il l'a vu, un coup de coude entre Février et Rabut.

Il ne veut pas s'énerver.

Il passe ses doigts sur les lèvres ; elles sont sèches, sa bouche est pâteuse. Aussi, il avale le contenu du verre en deux larges rasades, très vite, et quand il le repose, d'un geste sec, brutal, plus fort que ce à quoi il s'attendait, le bruit sur le comptoir le surprend et il fixe Rabut et Février : sa voix est cassante, cinglante, il ne regarde pas Février mais seulement Rabut lorsqu'il jette,

Qu'est-ce qu'il a, qu'est-ce qu'il me veut, il veut quoi, le bachelier ?

Et certains peuvent dire, quelques heures plus tard, avoir vu Bernard et Février, et Rabut aussi, dans un dancing. Dire,

On les a vus et on les a salués et on leur a dit à tout à l'heure.

Très vite, dans la caserne, on se passe le mot : des soldats, des appelés. Les gars, des appelés ont disparu.

Et ce n'est pas exactement ce qu'on pense, pas exactement encore ce que les militaires pensent mais ce qu'ils craignent déjà au moment où ils contactent le poste, là-bas – assassinat, kidnapping, tout est possible, on le sait, on est méfiant, on fait semblant de ne pas y penser mais on redoute toujours que quelque chose de cet ordre se produise, à n'importe quel moment et à n'importe quel endroit, et alors on se rassure en se disant,

Rien n'est sûr, peut-être pour l'instant ils sont seulement partis dessoûler quelque part et ce sera tout, ce ne serait pas les premiers.

Les deux jeeps et le half-track attendent sous le soleil et à la vue de tous, dans la cour. Du poste, le caporal a voulu parler à l'un de ses hommes : ça a été Nivelle. Il lui a ordonné de partir à la recherche de Février et de Bernard, et de ne pas repartir sans eux.

Avec Idir qui connaît la ville vous allez me retrouver ces deux trous du cul.

Voilà ce qu'il dit avant de raccrocher d'un coup sec, très en colère. Et une heure plus tard, c'est au pas de charge que Nivelle et Idir et deux autres reviennent, seuls.

Ils disent n'avoir trouvé personne.

Ils disent,

Oui, on les a vus, enfin, pas nous, des gens, des gens les ont vus, des foules entières les ont vus et quand ça a mal tourné ils ont disparu et puis plus personne.

Et ceux qui les connaissent, dans la caserne, s'étonnent et essaient alors de voir sous le soleil un Rabut et un Bernard plus terriens que jamais, et, autour d'eux, Février faisant tout pour les calmer et n'y parvenant pas, s'étonnant de comment quelque chose entre les deux cousins a explosé parce que Rabut avait sans doute trop bu, trop vite, c'est ça qu'on se dira,

Rabut aime bien lever le coude au foyer alors qu'on sait que l'autre, le cousin, non, plutôt bondieusard le cousin, une bière de temps en temps, c'est tout, et puis jouer aux cartes et puis peut-être fumer avec les copains, et rigoler, mais pas causant, taciturne, un peu sombre, inquiet aussi, et souvent le missel entre les mains et les prières au bout des lèvres, c'est ça ce qu'on sait de lui.

Qu'on croit savoir, et pas plus.

On se demande bien ce qui a pu se passer et puis très vite on ne cherche même plus à savoir pourquoi

Rabut a regardé son cousin avec soudain cette expression, cette gravité, au comptoir, parce que l'autre lui avait juste dit une bêtise à peine méchante. Et pourtant Rabut a eu cette façon froide et dure de le regarder avant de lui répondre, laissant son verre sur le comptoir et se redressant à peine, esquissant une sorte de – comment dire, comment appeler ça – de regard par en dessous et puis ce léger rictus, cette volonté de ne pas prêter attention à ce mot quand l'autre avait dit,

Qu'est-ce qu'il me veut, le bachelier ?

Rabut ne bronchant pas vraiment et se retenant, et faisant même encore abstraction (semblant de faire abstraction) de ce qu'il avait entendu, on aurait dit seulement distrait par le bar, par les gens aussi et la musique, rien, un rictus, pas même une grimace, à peine une seconde et pourtant il a bien fallu dire,

Eh, cousin ! c'est bon, tu vas pas remettre ça.

Comment alors il y a eu ce mouvement, on n'a pas su comment, comment entre eux ça a basculé et a emporté avec eux les deux corps, d'abord dans l'entrée, tous les deux, les cousins, leurs corps et les silhouettes à peu près de la même taille se détachant comme une seule forme noire et grise et les formes des mains ne se détachant pas encore dans le cadre de la porte et l'extérieur comme une photographie ou une peinture ou quelque chose de trop maquillé, lumière blanche, aveuglante, et les ficus, le vert, des mouvements aussi et puis seulement Février et des voix autour pour dire, et rire, s'amuser de ça, ce ton qui monte, pas encore des cris entre les deux hommes, pas encore les mains mais déjà les têtes rouges et les yeux très grands ouverts comme ceux des cadavres et des hiboux dans la nuit, ils connaissent ça par cœur, mais pas encore ce qui les attend, qu'ils vivent maintenant, qui les tient, et tout ce qu'il a fallu entendre dans l'entrée du bar avant que quelqu'un décide qu'ils devenaient violents et qu'ils – alors dire comment c'est venu, pas seulement comment on en est venus aux mains mais,

Le *bachelier*,

Ce mot perçu par Rabut et lui qui était suffisamment soûl cet après-midi-là pour ne pas l'encaisser. Ce sourire avec ce regard. Ce rictus. Comment l'un et l'autre d'un coup se sont précipités non pas l'un sur l'autre mais seulement l'un devant l'autre, debout, déjà prêts à en découdre,

Qu'est-ce que tu viens me faire chier même ici ?

Tous les deux tendus dans l'encadrement de la porte et ne voyant plus personne arriver ni même sans plus entendre les voix et les rires au début, ceux de Février, ceux de quelques soldats au comptoir ; et puis un poing serré très fort, aussi fort peut-être qu'un paquet de cigarettes roulé en boule et laissé là sur un comptoir, lui qui comme une main, une fleur, alors sur le comptoir s'ouvre, s'épanouit, se détend en se défroissant, lentement, comme un petit animal se déplace, un crabe sur le côté ; et alors, bien sûr, personne au début n'a cru qu'ils frapperaient. On entend les voix. La musique. La vie dans la rue.

Et le médecin quand tu l'as trouvé, le médecin, tu t'es curé les ongles pour pas le regarder, tu l'as traité de salope aussi le médecin, quand il est mort ?

Et l'autre qui n'a pas répondu tout de suite et la bouche qui pendait et la salive qui brillait, et puis, les poings qui se sont fermés,

T'es trop con mon pauvre Rabut, t'as toujours été trop con.

Aucun des deux ne parlant de Mireille alors que pourtant Bernard n'a pensé qu'à elle, à Mireille.

Il s'est dit : Mireille.

Son prénom comme un rêve à retenir. Quand son cœur tout à coup a bondi, c'est ça, a bondi dans sa poitrine et il s'est redressé parce que l'autre s'était redressé et soudain plus rien n'est possible entre eux, plus aucune paix parce que Rabut a repoussé Bernard et il a les larmes aux yeux lorsqu'il murmure et crache avec dégoût – Bernard a cru entendre ça, comme ça, ce nom et cette image, c'est sûr, il a entendu ça, de Rabut, les mots dans la bouche de Rabut,

Ça fait des années que ça j'ai envie de le dire, personne a été foutu de te le dire,

Rabut avec les larmes, non, les yeux gonflés, la voix tremblante,

C'était ta sœur et toi tu la traitais de salope, Reine, tu disais ça, salope,

Et Bernard ne l'écoutant pas, fronçant les sourcils et qui s'était mis à cracher,

De quoi tu me parles, tu sais rien, rien du tout, personne ne sait rien et maintenant, Rabut, ferme ta gueule.

Et alors les corps et les cris, non pas leurs cris à eux mais ceux des autres, tous les autres autour qui n'ont pas vu ni cru que ça pourrait partir si vite, si fort, le bruit des poings, le choc des poings contre les mâchoires, celui qui a commencé, le premier sur l'autre, impossible, les corps se saisissant, s'étalant, les poings fermés, nuques tendues, bustes en avant et les cris, les menaces, quoi, tous les deux hors d'haleine et balayant autour d'eux sans les voir tous ceux qui s'opposent, s'interposent, et tous les deux ensemble, unis, du même côté au moins pour nettoyer autour d'eux et se débattre pour courir vers l'autre, droit devant, crachant, et des cris si forts et alors on les a poussés, l'un et l'autre foutus dehors et même à coups de pied malgré Février, malgré d'autres soldats, et ceux qui ont essayé, par les gestes, des mots,

Calmez-les,

Non,

Impossible par des mots qu'ils n'entendent pas, des gestes qu'ils ne voient pas, des mains qu'ils repoussent, impossible de rien et certainement pas de les calmer, ni l'un ni l'autre, ensemble pour ça, impossible de les faire taire,

Arrêtez,

Ils n'ont rien vu ni des rires ni des paris qu'on lance déjà, et autour d'eux la masse des gens et les mains mimant la cogne,

Vas-y, vas-y,

Frappe !

Frappe !

Les mains comme une haie formant un grillage autour d'eux et les bouches des enfants pleines de pastèque, quelques minces filets de nuages blancs au-dessus d'eux, les gamins criant et riant et les femmes inquiètes s'interpellant, cherchant des regards, appelant sous les oh de stupéfaction, les encouragements, et elles, certaines qui insistent en cherchant autour d'elles, il faut les séparer, qui va les séparer, personne, les bustes en avant, les mains fermées en poings, faux boxeurs, combat de coqs, et d'autres au contraire qui sont là et s'époumonent aussi, il faut appeler, les policiers, quelqu'un, leurs voix noyées dans la poussière et sous les coups, secs, courts, les poings et les souffles et puis les cris des sortes de cris et des rires des sortes de rires.

Et pendant qu'ils frappent, aucun des deux ne peut ni imaginer ni penser à rien. Et pourtant le cœur se vide d'ils ne savent pas quoi ni l'un ni l'autre.

Mais il se vide.

Et tout autour d'eux le soleil et les cris et les gens sont comme des taches de couleurs et de sons incompréhensibles et lointains, plus lointains encore que là d'où vient ce besoin de frapper. Comme si lui, Bernard, frappait sa mère. Qu'il puisse enfin frapper sa mère comme si c'était un homme et crier et hurler enfin sa haine ; et comme si c'était crever une bulle de pus et vomir l'image du corps du médecin – ils ont l'impression l'un et l'autre que c'est en pleurant qu'ils frappent et qu'en frappant l'autre c'est eux-mêmes qu'ils blessent.

Bernard, lui, à ce moment-là, il ne peut pas imaginer que quarante ans plus tard, disons, presque quarante, c'est ça, presque quarante ans, tant d'années, toutes ces années, il ne peut pas imaginer ce saut dans le temps et, à travers l'épaisseur des années, voir, ni même apercevoir cette nuit d'hiver où Rabut se réveille une fois encore en sursaut, parce que quelqu'un dans la journée aura dit le nom Algérie.

Bernard, au moment où il se bat, n'imagine rien.

Pas sa voix, bien sûr, ni son visage dans quarante ans. Pas la journée d'anniversaire de Solange, pas la petite boîte bleu nuit d'un bijou qu'il aura acheté pour elle et certainement pas ni Chefraoui ni la nuit qui va suivre, ni Rabut, gros, lourd, un peu pataud, se réveillant en sursautant à trois heures du matin comme à chaque insomnie.

Et, cette fois comme les autres, il se réveille, Rabut, les yeux grands ouverts : c'est-à-dire, quand il prend conscience qu'il est réveillé, c'est comme si ses yeux étaient déjà grands ouverts, sa main tâtant dans le vide à la recherche de l'interrupteur de la lampe de chevet. Il est un peu tremblant, le souffle haletant. Il se réveille dans son lit, à côté de sa femme, Nicole, qui lui tourne le dos et n'entend rien. Il a le visage et le corps d'un homme de soixante-deux ans et il est fatigué, il se sent tellement lourd, épuisé, sa bouche est ensuquée et il peut passer plusieurs fois ses doigts dessus pour l'essuyer, comme il fait aussi avec le visage comme pour se défroisser, reprendre son visage d'avant, un visage plus lisse pour y voir plus clair, mais non.

Il faut d'abord qu'il se relève, se redresse dans son lit, et c'est compliqué, le coussin derrière lui glisse, s'écrase, il faut se retourner un peu pour le relever et s'asseoir mais il est comme un noyé, c'est un noyé, il se noie – et pendant qu'il cherche à saisir, sur le côté, l'interrupteur de la lampe de chevet, il faut supporter de voir encore devant soi défiler les images et entendre encore cette vieille bagarre qui aurait pu être calmée si lui, lui, au lieu d'ouvrir sa gueule, comme il se le sera reproché si souvent depuis, si au lieu de l'ouvrir et d'attiser celui, en face de lui, à qui cette bagarre coûterait si cher, s'il avait su, s'il avait pu savoir, non, il n'aurait pas attisé la colère de Bernard et alors.

Mais alors –

Bernard serait – il lui a sauvé la vie aussi. Parce que cette bagarre, c'est grâce à cette bagarre qu'ils ne sont pas allés au poste ce soir-là, qu'ils sont restés, contraints et forcés, à la caserne.

C'est ça. Sauf que s'ils étaient revenus au poste rien ne se serait passé comme,

comme,

comme ça.

Et Rabut peut bien se retrouver assis au fond de son lit, avachi, le corps avachi par les années et la

225

famille, tous ces mariages, ces naissances, ces communions et ces gueuletons avec les anciens d'Afrique du Nord, les méchouis, la nostalgie de quelque chose perdu là-bas, peut-être la jeunesse, parce qu'à force, peut-être on embellit même les souvenirs qu'on préférerait oublier et dont on ne se débarrasse pas, jamais vraiment ? Alors on les transforme, on se raconte des histoires, même si c'est bon aussi de savoir qu'on n'est pas tout seul à être allé là-bas, et, de temps en temps, pouvoir rire avec d'autres, quand la nuit c'est seul qu'il faut avoir les mains moites et affronter les fantômes.

Et se laisser aussi envahir par l'homme jeune qu'il était, Rabut, et qui frappe sans discontinuer, sans comprendre combien lui aussi prend des coups, combien il souffre et flanche presque, lorsqu'ils se mettent à rouler par terre, sous les cris, et Bernard – Rabut ne se souvient pas de ça – Bernard lui saisissant le visage, les doigts serrant, le griffant, le plaquant à terre, continuant de frapper, de plus en plus vite, fort, des poings comme un hachoir, burin, coups de pierre, des coups de poing – mais pas le pire encore – il aura mal des semaines – mal encore – des mois – la tête contre le bitume – l'autre qui frappe – les doigts s'accrochant et cherchant presque à lui arracher les oreilles – et les poings qui frappent les yeux – le corps qui fait défaut – les yeux se ferment – la peau craque – l'autre est sur lui – il est écrasé et bientôt ne sent plus rien qu'une gigantesque fatigue et un grand renoncement de tout son corps – ça craque, se disloque et le silence aussi dans sa tête comme le sang dans sa bouche

– un bain de sang dans sa bouche – l'odeur – le nez aussi saigne – il ne respire plus et déjà les mots ne viennent pas jusqu'à lui.

Et lui, Rabut, il ne voit pas vraiment le visage de l'homme chez qui on l'emmène juste après, l'homme qui a vu la bagarre de sa fenêtre et est venu en courant avec sa trousse de médecin et derrière lui sa femme suppliant de ne pas s'occuper de ça. Mais l'homme n'a pas écouté.

Il est venu, déjà en sueur, le souffle lourd, en chemisette, un mouchoir pour s'éponger le front, le visage, et puis les mots pour séparer les deux hommes, pour qu'on l'aide à les séparer. Il a voulu qu'on vienne chez lui, exigé même, qu'on vienne, qu'on se soigne avant de repartir vers la caserne, ou là où vous voudrez, au diable si vous voulez, mais arrêtez ça, qu'on cesse ça tout de suite, arrêtez ça, a-t-il exigé. Et maintenant Rabut se traîne, soutenu par lui et par Février pendant que Bernard, à quelques mètres derrière, marche à contrecœur dans leur foulée. Parce que, oui, Bernard est là. Il vient avec eux sans réfléchir, parce qu'il ne sait pas depuis l'enfance qu'il pourrait laisser Rabut s'en aller, faire son chemin ; alors il le suit sans y penser. Même s'il n'aide pas à porter son cousin, bien plus amoché que lui, il est seulement occupé à suivre en titubant, soufflant comme un bœuf, le front bas, cherchant pendant quelques minutes sur le sol et dans la poussière comme s'il avait perdu des lunettes ou n'importe quoi, peut-être sa montre, puis renonçant, résigné.

Pendant presque deux heures, le médecin relève ses manches et fait la morale, sérieusement, avec application, alternativement à l'un et à l'autre des deux cousins, prenant Février à témoin qui acquiesce en jetant pourtant un œil sur l'horloge dont il aperçoit le cadran, là-bas, dans la bibliothèque. Et le médecin parle en soignant, il parle et fait la morale comme un bon père de famille, en distribuant les compresses, usant de gestes précis et souples, presque caressant à force de précaution, le tout en répétant, consterné, comme si ce n'était pas assez de violence, les gars, vous ne devriez pas vous battre, vous ne devriez pas vous mettre dans des états pareils, etc., pendant que derrière lui, en silence, sa femme sert du thé et des biscuits pour requinquer tout le monde.

Et Bernard pendant ce temps ne dit rien. Il répond par oui ou par non, c'est tout. Il attend. Il regarde le médecin, de dos, et les jambes et les bras de Rabut qui pendent des deux côtés de la table d'auscultation. Bernard reste comme ça. Puis, parfois, il se lève, reste debout quelques minutes sans trop savoir où aller puis s'approche, revient, retourne s'asseoir. Puis se relève encore, cette fois à toute vitesse. Et il marche, se tient droit, raide, puis va à la fenêtre comme si cette fois il savait pourquoi se lever et alors se penche et regarde au-dehors, dans la rue, là où ils se sont battus.

Tout le reste ne passe pour eux que comme dans une sorte de fièvre. Est-ce que c'est comme un songe ou comme si on avait gommé une partie de ce temps, de leur vie, en tout cas, l'arrivée à la caserne ce ne sont que les portes de la prison se refermant sur eux trois, le temps de dessoûler, malgré les cris de protestation de Février, le temps, on leur dit, de réfléchir un peu. Et pourtant Février a beau gueuler qu'il n'y est pour rien, la seule chose qu'il entend et qui résonne à ses oreilles toute la nuit, c'est cette phrase-là,

Tu t'expliqueras demain.

Et ce qu'il voit : la porte se refermer sur lui, l'espace d'un rectangle blanc minuscule où des pupilles dilatées le regardent longtemps puis disparaissent dans le noir.

Et la nuit. Trois silences et des yeux brillants. Trois solitudes.

Rien de plus.

C'est le lendemain très tôt qu'ils peuvent retrouver les autres. Février ne parle pas à Bernard, parce qu'à cause de lui il a passé sa nuit au trou. Il a froid, il est sale, épuisé, pas dormi ; il sait que pour ce retard et cette bagarre il sera jugé lui aussi, et maintenant ça le met hors de lui.

Mais ça, ce n'était rien du tout, rien du tout, dira-t-il plus tard à Rabut, à la fin des années soixante, lorsqu'il viendra lui raconter comment Éliane et lui, et puis la ferme aussi, et comment dans la région parisienne il aura revu Mireille et Bernard avec leur premier enfant, et elle, enceinte et triste, pas encore vieille mais au bord d'une détresse plus triste et sombre que la vieillesse alors que lui, Bernard, tellement différent de celui que –

Alors non.

Non, se retrouver comme ça dans le convoi qui nous ramenait au poste, aussi furieux et triste, sale aussi, c'était rien et il faut même faire un effort pour me rappeler, dira-t-il plus tard à Rabut, ce jour, sept ou huit ans après tout ça, si drôle pendant le repas, parlant de tout, très drôle, vraiment, et Nicole se souvenant longtemps de lui comme le grand dadais qui ne parle que de son Limousin.

Alors qu'il parle aussi et surtout quand la nuit tombe et que femme et enfants sont partis se coucher, qu'il a parlé ce soir-là, tellement parlé même, des années après les événements, leurs événements, enfin, lorsqu'ils avaient raconté, se retrouvant seuls et déjà éméchés, comment on avait du mal à vivre depuis, les nuits sans sommeil, comment on avait renoncé à croire aussi que l'Algérie, c'était la guerre, parce que la guerre se fait avec des gars en face alors que nous, et puis parce que la guerre c'est fait pour être gagné alors que là, et puis parce que la guerre c'est toujours des salauds qui la font à des types bien et que les types bien là il n'y en avait pas, c'était des hommes, c'est tout, et aussi parce que les vieux disaient c'était pas Verdun, qu'est-ce qu'on nous a emmerdés avec Verdun, ça, cette saloperie de Verdun, combien de temps ça va durer encore, Verdun, et les autres après qui ont sauvé l'honneur et tout et tout alors que nous, parce que moi, avait raconté Février, tu vois, moi, j'ai même pas essayé de raconter parce qu'en revenant il y avait rien pour moi, du boulot à la ferme, des bêtes à nourrir et puis regarder de loin, dans la ferme d'en face, la petite voiture d'où Éliane sortait tous les dimanches vers cinq heures, en revenant de chez ses beaux-parents. Parce que quand je suis rentré, se dire qu'elle était mariée, oui, ça, c'était vraiment dur. Et qu'elle était mariée avec un voisin, un pauvre type pour qui j'avais jamais eu le moindre respect parce que je savais que toute sa famille en quarante ça avait été des collabos, rien que des collabos retournant leur veste au dernier moment, toute cette saloperie chassant les derniers Allemands à coups de pelle, moi, on me l'a dit, ça, mon père me l'a dit, personne de plus furieux que les résistants des dernières heures, quelque chose à prouver, se rattraper, montrer qu'ils y sont, du bon côté, tout ce malheur c'est le souci d'être du bon côté, pour bien être du bon côté, je le sais, on me l'a dit, ce gars de vingt ans qu'ils ont achevé à coups de pelle et alors se dire qu'elle s'est mariée avec un gars de cette famille-là, cette engeance parce qu'il s'était fait réformer et qu'il avait de l'argent, pendant des mois en revenant je suis pas sorti de chez moi et même j'ai travaillé à la ferme comme jamais, j'ai refait les clôtures, j'ai marché pendant des heures dans la campagne et jamais j'ai trouvé que la boue c'était mieux que la pierraille, crois-moi, à ce moment-là, non, et la boue, les bottes, l'humidité et la lourdeur des champs, comment ça s'enlise, bon, le seul à qui je parlais sans gueuler c'était mon chien, dans les bois, quand je marchais pendant des heures et même le soir, c'était qu'à lui tout seul que je pouvais parler.

Bon, c'est toujours comme ça. Dans le bourg, des gars comme moi, il y en avait. L'Algérie, on n'en a jamais parlé. Sauf que tous on savait à quoi on pensait lorsqu'on disait nous aussi on est comme les autres, et les animaux valent mieux que nous, parce qu'ils se foutent pas mal du bon côté.

Et lorsqu'il avait raconté ça, Février, c'était pour dire aussi le silence le lendemain quand ils sont partis vers le poste, et comme il en voulait à Bernard de l'avoir mêlé à des histoires de famille, pour ce que c'est intéressant, les histoires de famille.

Et souvent, pendant des années, Rabut a pu se répéter, je ne sais pas pourquoi la nuit je ne dors plus, je ne sais pas si c'est à cause de l'Algérie, vraiment, ou bien si c'est seulement parce que Février est venu des années après et qu'il m'a raconté comment ça s'est passé lorsqu'ils sont arrivés au poste, là-bas, lui et Bernard, et qu'ils ont vu les citernes comme des géants en armures pour les accueillir, et puis le vent. Ce matin-là il y avait du vent, il a dit que c'était important le vent parce que tous avaient le visage giflé par le sable et dans les yeux des grains brûlaient, sur les joues la peau était rouge comme par l'alcool pour calmer le feu du rasage, il a raconté.

Et maintenant, depuis des années, Rabut entend la voix de Février, et il le revoit lui racontant la route ce matin-là, et lui, Rabut, depuis il se réveille souvent comme si lui-même avait vu ça, comme si lui-même il avait été là-bas alors que non, puisque lui était resté à la caserne, à Oran, c'est seulement la voix de Février qui lui revient.

Et peut-être aussi quelque chose de la terreur de Février et des autres.

Tous les autres avec lui, dans les jeeps, dans le half-track, les corps secoués par la route, les pierres, les trous, la route du retour avec le vent et le sable qui frappent tous les deux comme un seul et donnent au bleu du ciel ce goût de poussière jusqu'au fond de la gorge ; et l'on peut tousser, boire, rien n'y fait, la main devant la bouche ne protège pas, ni les lèvres fermées, déjà sèches, dès le matin, même s'il est tôt et que le soleil n'est pas haut encore dans le ciel, que celui-ci n'est pas encore bleu entièrement mais pâle, hésitant. Et pourtant le sable et le vent, eux, n'ont rien d'hésitant et agacent comme des moucherons à hauteur des yeux ou cinglent comme des petits grains de plomb. Et la couleur presque café au lait à l'horizon et puis à perte de vue que n'interrompt – rien, cette fois, non, rien n'interrompt la ligne d'horizon, rien, pas une seule de ces barres verticales qui devraient servir de poteaux télégraphiques, et pas non plus les fils tendus entre eux – parce que cette fois ce n'est pas un ou deux poteaux que les types ont sciés. C'est sur toute la longueur de la route. Certains poteaux sont tombés du côté des fossés mais d'autres – peut-être qu'on a tout fait, sans doute on a tout fait pour qu'ils viennent tomber de ce côté – d'autres tombent sur la route, la barrant alors d'un trait net, sur toute la largeur, avec les fils s'emmêlant et traînant comme des serpents morts dans le sable, obligeant le convoi à s'arrêter souvent, tout le long du trajet, des dizaines de fois.

Et alors, on voit que c'est comme ça à perte de vue, on voit bientôt que c'est sur toute la piste parce que plus loin il y a un virage et la route descend vers la mer, ce qui fait que le regard peut embrasser le paysage très loin et d'aussi loin cette fois on comprend qu'il n'y a presque plus rien à voir.

Et ça, avait raconté Février, même moi ça m'a sorti de ma mauvaise humeur et de ma colère contre Bernard. Comme si tout à coup on se rappelle qu'il y a plus important, ces choses qui arrivent, et les copains, on se regarde, on échange la même peur, les mêmes questions, alors ce qui est arrivé la veille et même deux heures avant entre nous ça n'existe plus ; on est soudés par la même peur, on partage tout à ce moment-là, les mêmes regards. Et puis le besoin de se parler, parce que là – le convoi arrêté sur le bord de la route, les gars une minute sans voix, puis sortant les uns après les autres des jeeps – c'est comme si les fells avaient fait ça tranquillement, sans redouter personne, c'est ça qu'on ressent à ce moment-là, et on pense tous pour soi-même : comme si cette fois ils étaient maîtres des lieux.

Au départ, on se dit que c'est comme d'habitude et on ne veut pas chercher plus loin. Alors on s'agite et très vite, tous, on est là à donner des coups de pied par terre pour renvoyer les poteaux dans le fossé, puis après on s'organise, une voiture part un peu en avant, s'arrête au premier obstacle, trois gars sortent en courant et soulèvent le poteau, le déplacent, et, pendant ce temps, le reste du convoi avance, puis s'arrête et d'autres font pareil plus loin, pendant que la première jeep les double et rebelote. Comme ça tout le long, sans parler. Sauf qu'au fur et à mesure, la colère monte, et bientôt on est très agacés, tous, pas seulement parce qu'on a soif, qu'on transpire déjà et qu'on n'en voit pas le bout. Mais on sent que c'est une provocation et on ne sait pas y répondre, on est piégés, on imagine les fells quelque part en embuscade, en train de rire de nous, on les imagine – comme toujours on les imagine puisqu'on ne les voit jamais, et la colère n'y peut rien, juste nous donner l'énergie supplémentaire pour en finir plus vite et dégager la route très vite en gardant pour soi l'envie de hurler à ce pays tout entier, à la caillasse, aux broussailles et aux oliviers, au vent aussi, à la mer, à tout, le ciel, les ronces, les touffes d'herbe, comme si tout nous regardait et rigolait avec les fellouzes,

Allez, venez, venez vous battre si vous êtes des hommes, montrez-vous si vous êtes des hommes – plutôt que ça, cette solitude, l'accablement déjà, et ce découragement qui prend lorsqu'on entend les freins de la jeep qui s'arrête une quinzaine de mètres plus loin.

Alors, on est arrivés vers le poste en roulant au pas, et tous maintenant sont agacés. On ne parle pas, seulement on regarde autour, des coups d'œil rapides qui ne se fixent sur rien, rien de précis, rapides, c'est tout, pour tout combler, ce silence trop grand, cet espace trop grand aussi, si familier pourtant mais on regarde comme si c'était la première fois, comme si c'était une grotte, une forêt, la peur au ventre, les fusils à portée de main, les mains moites, tremblantes, mais pas longtemps, parce qu'il y a les échanges de regards entre nous.

Et ce n'est pas pour chercher une réponse à ce qu'on ne comprend pas, c'est pour se donner la force, le courage d'avancer et non pas pour comprendre.

Parce que ça, non, non, on ne comprend rien, rien à comprendre.

Pourquoi soudain on a peur de ce silence et plus encore de ce que ça peut dire. On a peur et soudain ce n'est pas pour nous qu'on a peur, pas pour nous, mais pour eux, dedans, à l'intérieur du poste – et ces moteurs au ralenti, même la route semble plus plate que d'habitude, parce que, en roulant moins vite, on sent moins les trous et ça ne rassure personne, comme le silence aussi ne rassure aucun de nous. Et aucun de nous ne parle plus. On ne peut pas. Silence. On attend. On roule très lentement et on entend les graviers et les cailloux qui crissent sous les pneus. Les mains sur les fusils, les mains, quelque part de trop, toujours, cette gêne soudain qui fourmille dans les mains et jusqu'à la pointe des doigts. Et puis les collines. Les broussailles. Quelques arbres sur le bord de la route et en contrebas la mer et les grandes citernes sur lesquelles le soleil ne jette pas encore ses reflets aveuglants comme parfois l'après-midi.

Ce moment d'arriver au poste et déjà de découvrir cette drôle d'image : qui le dit le premier, qui ose le dire, nommer, dire,

Putain, vous avez vu – non, ça, je ne sais pas qui le dit.

Seulement quelque chose passe très vite d'un regard à l'autre. Et l'on cherche à comprendre. Ou plutôt, ne pas se laisser déborder par ce qu'on croit, qui vient de passer devant les yeux. Alors, on se dit, le chef, il est où, il faut que quelqu'un décide de ce qu'on doit faire parce que tout à coup on ne sait pas ce qu'on doit faire, ni penser, on reste là et soudain les voitures au lieu d'avancer et d'amorcer la descente après le dernier virage au contraire ralentissent et freinent. On entend les freins à main, le grincement des essieux, tout le convoi s'arrête.

Et on attend.

On voit ça d'en haut, de la route : dans la cour du poste, le drapeau n'a pas été levé. Le mât est là, vide, le drapeau ne flotte pas. Personne ne le dit encore, on se contente de montrer aux autres, d'un geste, en relevant le menton.

Puis quelqu'un le dit.

Il n'y a pas le drapeau, ils n'ont pas levé les couleurs.

On ne sait pas ce qu'on doit penser. Ou bien, est-ce qu'on sait déjà ? Peut-être que si. Si, déjà. On sait. Est-ce qu'on sait ? C'est seulement plus tard qu'on se dit qu'on savait déjà, à ce moment-là, et que simplement on n'osait pas se dire,

Oui, c'est ça.

On reste là quelques minutes, et ça semble très long quelques minutes, avec les moteurs au ralenti qui font vibrer la tôle des voitures, et nous, dedans, avant qu'on entende la voix et les noms, cinq noms qui tombent de la voix dans la première jeep et ceux-là qui doivent ouvrir la marche et surgir des jeeps, déjà prêts.

Et, bien sûr, les premiers noms, ce sont les nôtres. Celui de Bernard et le mien. C'est nous, les premiers noms, et puis trois autres suivent.

Mais nous deux d'abord parce que. Parce que. Bientôt ils diront que tout ça c'est arrivé parce qu'on n'était pas là au moment où il fallait partir de la caserne et que d'une certaine manière on avait fait le travail pour les fells.

Oui, certains ont dit ça.

Comme si on avait besoin qu'on nous en dise plus. Que nous deux, Bernard et moi, on n'avait pas déjà pensé à ça, que si jamais le convoi était parti à l'heure, alors, oui, c'était difficile d'imaginer ce qui se serait passé et de se dire comme ça, oui, à cause de nous. Peut-être à cause de nous. Et moi combien de fois je me suis dit, Bernard et son cousin j'aurais dû les secouer plus fort, les traîner tous les deux, enfin, seulement Bernard, parce que, après tout, ce que ça pouvait me faire, à moi, que Rabut rentre ou non dans sa caserne, hein, qu'est-ce que ça pouvait me faire quand pour moi le seul qui comptait là-dedans c'était Bernard, et jamais je n'ai pu me dire c'est à cause de cette bagarre et parce que nous sommes arrivés trop tard, ils nous ont attendus, c'était les ordres du lieutenant, ça, ou du caporal, d'un chef, de quelqu'un du poste, et ça, nous, on n'y pouvait rien, c'est eux qui ont pris la décision de rester, de ne pas partir sans nous, de nous attendre, de différer le départ du convoi, pas nous qui avons décidé que tout le monde devait attendre parce que seulement deux clampins n'étaient pas là à l'heure.

Pas sûr que ça aurait changé des choses. Pas sûr. Comme si ça aurait changé des choses. Moi, au fond, je ne l'ai pas dit à Bernard à ce moment-là et lui non plus il ne me l'a pas dit, mais bien sûr qu'on savait que ça aurait changé des choses, si le convoi était parti, au lieu de nous attendre, c'est parce qu'ils ont su qu'on ne partait pas que les fells ont attaqué – ils étaient au courant, presque la moitié de l'effectif en moins, ça compte, ils le savaient, ils n'auraient jamais osé sans ça, voilà.

Et personne n'a eu besoin de nous dire que c'était à cause de nous.

Non.

Ils n'ont pas eu besoin de dire,

Vos conneries, c'est vos conneries – et alors comme tous ils ont veillé simplement à ne pas nous parler, à se détourner de nous, à baisser les yeux devant nous, changer de conversation, aller voir plus loin, nous mépriser. Comment il a fallu vivre ça aussi avec Bernard. Repenser aussi à des images peut-être pire que tout : nos lits pas défaits et propres. La couverture marron bien pliée au-dessus du lit. Et les photos près de l'oreiller, punaisées sur le mur, nous souriant. Moi, c'était la photo d'Éliane et pour Bernard la carte postale de la Sainte Vierge phosphorescente, les mains jointes et le regard larmoyant, extatique, pendant qu'autour il y avait tout ce silence et ce carnage avec seulement cette saloperie de tortue qui redressait sa tête toute noire et ridée, la tête qui dodelinait, les petits yeux noirs qui clignaient, lumineux comme des yeux de chat la nuit ou des chromes de voiture, l'innocence d'une petite vieille qui traverse un champ de mines sans que rien ne lui pète jamais à la gueule.

Alors après on peut toujours dire que c'est de la faute de Bernard, de moi, de Rabut, de qui on veut.

C'est surtout la faute de ceux qui l'ont fait.

Et là, avait raconté Février, je ne sais pas comment on pourrait dire la peur qu'on a lorsqu'on avance en silence, le corps en angle, les jambes fléchies, le fusil à la main, presque à croupetons – je veux dire, à ce moment-là d'ouvrir la route vers le poste, les quelques mètres comme ça, tous les cinq, moi devant, suivi de Bernard, et puis les trois autres à l'arrière – tellement peur qu'on finit un moment par ne plus y penser du tout, ni à la peur ni à rien. On ne sait même pas pourquoi on y va. Et alors on s'agrippe à son arme et on court. Tête basse on court, on avance dans cette position ridicule de crabe ou quoi, pour se faire petit et discret. Et le plus dur c'est de ne pas crier.

On voudrait crier et on sait qu'il faudrait penser aux heures pendant lesquelles on a appris ce qu'il faut faire, comment il faut le faire, des gestes de militaires, comme si maintenant c'était la guerre oui c'est la guerre et on est des militaires. Des hommes comme rêvaient qu'on soit nos parents et nos grands-pères, les grands-pères surtout, et plus tard on se demandera,

Est-ce que c'est la même trouille qu'à Verdun ou en quarante ou comme toutes les guerres ?

Ça, j'en connais pas un, pas un foutu de me le dire. Quand moi je dis, oui, une forme de guerre. On ne sait pas ce que c'est, la guerre, mais ça y ressemble vraiment. Ce que je sais, c'est seulement que le souffle est si fort qu'on a l'impression que tout le paysage autour nous entend respirer.

Et moi, je me souviens de comment c'est, sous mes doigts, la pression sur le grillage, et la grille comme déjà ouverte, il n'y a personne, et l'absence de patrouille, personne, pas un des copains. On se regarde. On hésite à appeler. Bernard me fait signe qu'il ne vaut mieux pas. Alors il a fallu pousser de la main, un peu, juste un peu, pas besoin d'un grand effort. Un mouvement un peu sec et la grille qui s'ouvre.

Elle n'est pas verrouillée. Elle aurait dû. Elle aurait dû, bien sûr elle aurait dû l'être, mais elle ne l'était pas et alors lorsqu'elle s'ouvre il faut entendre son grincement et surtout pas d'autres bruits que ma respiration, si forte, à crever la poitrine, le poids soudain des vêtements sur la peau et la nuque très raide, c'en est difficile de me retourner et de jeter un regard à Bernard. Et lui me regarde. On ne comprend pas. On ne veut pas comprendre. Ce qu'on peut se dire alors, la grille qui s'ouvre et ne résiste pas comme elle devrait, le mât qui tient comme ça, droit, sans drapeau, rien, et personne, toujours personne, on se dit que ce n'est pas possible, dans la bouche on a ce mot-là qui roule,

C'est pas possible, pas possible,

Et ce mot s'effrite et tombe et n'est plus rien que cette pâte molle qui meurt dans la gorge, parce que la peur, la colère, la peur encore, tellement de peur et aussi on ne croit pas que c'est vrai, ce qu'on vit, ce qui arrive, là, et c'est ridicule l'idée qu'on est en train de s'inventer, de se forger comme ça dans la tête, quand on s'échange quelques regards pour se dire,

On avance, je te couvre,

Et cette idée ridicule pour nous couvrir aussi, de se raconter très sérieusement que, là-dedans, ils ont simplement oublié de se réveiller.

Quand on sait l'énormité que c'est de penser ça.

Mais c'est aussi une façon de ne pas crier, ne pas crier le nom des copains, on voudrait les voir, là, surgir. Et puis non. Le silence. Alors on se couvre comme on peut. On dit on se couvre parce que derrière, quelqu'un tremble dans votre dos et qu'il est prêt à tirer tout autour, si l'on vous tue. Si quelqu'un tire. Si quelqu'un bouge. On se couvre. Il faut quelque chose. Courir et laisser dans sa tête défiler une idée, une autre, puis pas d'idée, rien, et faire signe derrière soi d'avancer.

Alors un autre vient. Bernard est juste derrière moi. Et puis un autre. On est trois. Et puis quatre. Et puis

242

cinq. Et puis les autres qui regardent et attendent. Et puis la porte en fer, celle pour accéder à la sentinelle et qu'on trouve ouverte alors qu'elle sert de protection pour le gars dans la guérite. Elle non plus ne devrait pas être ouverte, on le sait, on ne dit rien. On ne se dit pas encore qu'il a fallu une clé, on se dit juste qu'il faut monter là-haut.

Et on le fait.

Trois qui restent en bas et les deux autres qui prennent l'escalier. Et alors, tout de suite, en montant, on sait qu'on voudrait marcher plus lentement, on est prêt à tirer, on sait qu'on peut tirer mais les doigts maintenant sont durs, raides, et pourtant ils tremblent, tout tremble sauf le béton des marches sous les pieds et Poiret là-haut, le corps basculé en arrière qui baigne dans son sang et les yeux grands ouverts qui regardent nulle part.

Et ça n'a pas été les questions tout de suite, mais très vite, avait raconté Février, oui, très vite parce qu'on trouve la porte de la sentinelle ouverte elle aussi, non pas fracturée ou rien, pas une égratignure, seulement ouverte. Il a fallu la clé. Voilà ce qu'on se dit – mais avant, avait continué Février, il y a le dégoût et comment je suis redescendu de là-haut en courant, manquant de tomber, mon cri en descendant les marches, en bousculant Bernard, c'est Bernard qui m'a dit, ce cri, et comment aussi j'ai vomi et je crois que je ne sais plus du tout ça et par contre je me revois encore restant debout, les jambes qui tremblent et c'était même la colère, la révolte, c'était, je sais pas

243

ce que c'est une telle furie quand on trouve les uns après les autres les copains tous égorgés comme s'ils n'avaient pas eu le temps de sortir de leur lit, je ne sais pas, on peut dire ce qu'on veut, ce qu'on peut, on peut essayer de raconter, de décrire, on peut s'imaginer, essayer de s'imaginer mais en vrai on ne peut pas imaginer ce silence qu'on découvre en arrivant dans la chambrée, ce silence-là est si lourd qu'il vous appuie sur la cage thoracique et c'est comme si on était en altitude, comme une pression de l'air, et vous suffoquez, d'abord parce que la lumière est allumée au milieu de la chambrée, cette simple ampoule dont la lumière jaune vibre et que vous la connaissez aussi, cette vibration, vous vous en plaignez avec les autres depuis le début, vous vous plaignez avec eux de ça comme de tout, et certains de vos copains sont là, ils sont morts et vous voyez ça, vous le voyez, comment ils se sont battus, vous le savez, ils sont là, certains sont habillés, ils ont eu le temps de s'habiller, certains, et de se battre, pas tous, certains sont dans leur lit et même la couverture est sur eux comme s'ils n'avaient rien vu venir. Mais d'autres, non. Et ceux-là, il y a des traces de coups, on a défoncé des têtes à coups de crosse, c'est comme ça qu'est mort Châtel, à coups de crosse, le devant du crâne défoncé et ce temps qu'ils ont pris pour les massacrer, eux, tous, le sourire kabyle, l'épaisseur de la peau et l'étrange expression que ça donne au visage, comme un masque qu'on aurait posé sur la tête, mais la tête c'est rien, rien, un autre masque et au-dessous il n'y a rien, l'épaisseur de la peau, ce sang opaque et brun et l'odeur déjà lourde et rance, ignoble, on ne reste pas longtemps, c'est pas possible de rester et de voir ça, ceux qu'on connaît, tous ceux-là et aussi les lieux, la chambrée, et puis comment ils ont pris les armes dans la petite armurerie où elles étaient rangées.

On ne pense pas à Abdelmalik, pas déjà, mais ce sera très bientôt, et non pas comme si on avait seulement des doutes sur lui, mais cette preuve, son absence, lui, disparu, enfui, et quelqu'un a ouvert les portes – qui à part lui –, quelqu'un a tué les deux gars en faction dans la nuit – qui à part lui –, la patrouille de nuit, et les a tués de l'intérieur, sans qu'on sache comment il a pu faire pour les tuer tous les deux, lui qui était seul, comment il a fait, ou alors il a d'abord tué Poiret, là-haut, dans la sentinelle, puis a ouvert la grille et ils sont entrés les uns après les autres, et alors ils sont venus comme ça, et lui avait les clés. Et penser comment Abdelmalik a pu le faire, et voir les autres le faire, tuer comme ça les gars avec qui il a vécu pendant des mois, se dire, c'est possible, ça, pas de trahir ou de changer de camp, mais encore de massacrer des gars avec qui on a rigolé et dont on savait que eux, la guerre, l'indépendance, la libération d'un pays ils étaient plutôt pour, mais au fond, ce qu'ils voulaient d'abord et avant tout, c'était juste qu'on en finisse et rentrer à la maison.

Comment il a pu faire ça, je comprendrai jamais comment c'est possible.

Et comment on peut faire ce qu'avec Bernard on a découvert après, nous deux, encore nous deux, lorsqu'il a fallu ouvrir la maison et découvrir le corps de Fatiha et les parents de Fatiha et le nourrisson, tous morts, morts si, comment,

comment on peut faire ça.

Parce que, c'est, de faire ce qu'ils ont fait, je crois pas qu'on peut le dire, qu'on puisse imaginer le dire, c'est tellement loin de tout, faire ça, et pourtant ils ont fait ça, des hommes, des hommes ont fait ça, sans pitié, sans rien d'humain, des hommes ont tué à coup de hache ils ont mutilé le père, les bras, ils ont arraché les bras, et ils ont ouvert le ventre de la mère et –

Non.

On ne peut pas.

Je ne fais que repenser à ça et j'ai beau bouffer tous les cachets que les médecins me donnent, avait raconté Février, je peux en prendre des cachets, et travailler dans la ferme des journées entières et même penser tous les soirs qu'il va falloir encore affronter la nuit, non, j'ai beau avoir pensé ça dans tous les sens, je ne comprends pas.

Et je ne comprends pas non plus après, comment après, avec Bernard, on a été jugés. Et comment il a fallu entendre non pas que peut-être notre retard avait sauvé la vie de tous ceux du convoi et les nôtres aussi, mais comment c'était à cause de nous que les fells avaient pu opérer. Et de tous, alors, c'est Idir qu'on a le plus harcelé, pour qu'il raconte ce qu'il savait. On se doutait qu'il savait, et lui, il a raconté comment parfois il se doutait qu'Abdelmalik pourrait nous trahir mais qu'il ne croyait pas qu'il le ferait. Il ne le croyait pas et pourtant Abdelmalik nous a tous trahis, et il a trahi Idir aussi bien, parce que vingt-trois mille francs par mois au bout d'un moment ça ne suffit pas, ça n'a pas suffi à justifier ce qu'il a pensé être une trahison envers les siens, et ça, Idir qui l'avait presque vu venir avait refusé, comme il a refusé, il l'a raconté, de croire qu'Abdelmalik parlait sérieusement lorsqu'il commençait à dire que de toute façon quoi qu'il fasse, lui ou un autre, on ne l'accepterait jamais comme un vrai Français, que les vrais Français ne pouvaient pas être un homme comme lui, comme eux, pas un bougnoule, puisque, au fond, Abdelmalik a fini par penser que tous on était des racistes et que ça ne changerait jamais, il a fini par se retourner contre nous mais Idir ne voulait pas le croire, il n'a pas voulu croire ce qu'il voyait pourtant, tous les jours au poste, devenir de plus en plus vrai, parce que, quand on lui a demandé si lui il avait des doutes aussi, pour lui-même, est-ce qu'il comprenait ça, il a hésité à répondre : il a dit que lui était français et que tant qu'il le serait il n'avait pas de raison de trahir le drapeau qui était le sien.

Et après, pendant des mois, quand vous êtes rentré chez vous, avait raconté Février, vous trouvez bizarre que personne ne vous demande rien.

Et moi, moi comme les autres j'ai lu le journal et j'ai vu dans le journal que c'était fini, que l'Algérie n'était plus française, que la guerre était perdue, mais personne dans le bar n'a jamais fait allusion à ça. Il y a les vieux qui jouent à la belote. Il y a la chaleur et la question de savoir s'il y aura assez de fourrage tout l'été.

Moi, quand je vais au bistro, les gens qui ne m'ont pas vu depuis longtemps me regardent et me disent que j'ai maigri et que maintenant j'ai l'air d'un homme.

Oui, c'est ça, je suis un homme.

Ils demandent comment c'était l'Algérie, et parfois, ceux qui s'intéressent disent que c'est dommage, tout ça pour rien. Mais quand même ils sont contents que tout soit terminé et puis. Et puis ils passent à autre chose,

Comment vont tes parents et deux bras de plus pour les foins ça va leur faire du bien.

Et à ce moment-là au café je me demande bien la tête qu'ils feraient, les vieux, au-dessus de leur belote et les autres derrière leur comptoir, si au lieu de répondre par un sourire et par oui, si je leur disais ce qu'on a vu, qu'on a fait, au bout de combien de temps le patron du bar dirait,

Tais-toi, ça suffit,

Combien il faudrait leur en dire, des gars qu'on laissait partir et à qui on tirait une balle dans la tête et qu'on balançait à coups de pied dans les ravins pour qu'ils se fassent bouffer par les chacals et les chiens ?

Et puis, enfin, on se dit que c'était comme si on n'était jamais partis. Comme si l'Algérie ça n'avait pas existé. Je me souviens d'avoir vécu quelques semaines comme ça, où j'ai recommencé à bien manger et à travailler et même à faire des projets, on tourne la page, tout est comme avant, avait raconté Février, parce que la vieille Fontenelle a jeté un œil de derrière son rideau, parce que les poules ont continué à picorer sur le chemin sans nous regarder passer, parce que l'odeur de bouse, les flaques d'eau, les bottes en plastique, la boue aux mêmes endroits que d'habitude, et s'entendre penser qu'il faudra bien qu'on foute une dalle de ciment devant l'entrée de cette grange un de ces jours, comme si on n'était pas partis.

Et surtout, je faisais tout ce que je pouvais pour ne pas réfléchir.

Mais la vérité, c'est que je pensais d'abord à Éliane et que je faisais tout pour ne pas risquer de la croiser.

Et le soir – je veux dire, la nuit –, quand le sommeil me tombait dessus, forcément je baissais la garde, et alors ça revenait, je me disais,

Jeudi, jeudi prochain j'irai sur le marché,

Là où je savais qu'elle vendait des œufs et des légumes, mais pas pour lui dire le mal qu'elle m'avait fait.

Je me réveillais et cette envie-là me brûlait, cette envie de me pointer devant elle et de lui demander, de lui dire, comme ça,

Qu'est-ce que tu crois qu'on a foutu là-bas, tu crois quoi, dis, pendant que toi tu foutais le camp, pendant que tu, avec l'autre, tu sais pas, moi, moi pendant ce temps j'ai vu des gars de vingt ou vingt-cinq ans et même, une fois, je crois il doit avoir dix-sept ans mais un fellaga quel que soit son âge, je me souviens de ses cris et de comment il se débattait quand on l'a monté dans l'hélicoptère et du vacarme des pales au-dessus de la mer et de lui, il criait, il suppliait et dans ses yeux j'ai vu la terreur – tu sais ce que c'est, toi ? t'as déjà vu ça sur ton marché, t'as déjà vu la terreur dans les yeux ? t'as pas idée ma pauvre Éliane, t'as aucune idée de rien, ses pieds qu'on avait laissés pren-dre dans un bloc de ciment et quand le ciment a été dur on l'a emmené dans l'hélicoptère et lui je jure il aurait vendu la terre entière, il aurait dénoncé la terre entière et toi aussi à sa place tu aurais dénoncé la terre entière, sauf que lui il avait du courage, lui qui avait résisté aux coups de canne, t'aurais vu son dos, si noir, si noir –

Alors qu'elle, si je lui avais raconté ça, elle se serait dressée et scandalisée, elle m'aurait dit,

Mais c'est fini entre nous, c'est fini, je suis mariée, fous le camp, laisse-moi, tu fais fuir les clients avec tes histoires,

Et sur le marché les vieilles m'auraient regardé en pensant qui c'est ce fou,

Qu'est-ce qu'il raconte ce fou ?

Et Éliane aurait cherché du regard, partout, affolée, honteuse, son mari, un parent, qu'on vienne la sauver, la libérer de moi et moi je continuerais,

Celui qui avait résisté on le plongeait nu dans l'eau de lessive de l'abreuvoir, dans la cour, et son corps

sous le soleil, et les coups de canne encore, tu veux
pas entendre, elle baisserait les yeux et dirait,

Tais-toi, tais-toi, arrête, tais-toi,

Et les vieilles qui diraient,

Ça suffit,

Et les vieux qui diraient,

Ça suffit,

Et moi alors je dirais il avait résisté à ça mais
lorsqu'on a plongé ses pieds dans le ciment il a compris
tout de suite et il aurait dénoncé tout le monde pour
ne pas entendre les pales de l'hélicoptère et il a
dénoncé tout le monde – la grotte dans laquelle les
autres et lui se planquaient, le matériel, le réseau, les
recruteurs, les convoyeurs, les complices – et ses mains
et ses doigts s'accrochant à tel point qu'il fallait les
mordre jusqu'au sang et puis frapper, frapper et même
comme ça on aurait dit qu'il ne pouvait pas lâcher ; et
son corps pourtant a lâché et son cri a disparu dans
l'air bleu de la Méditerranée sous le bruit des pales et
l'indifférence de la mer.

Et les heures d'après-midi, à fumer en regardant
les vaches et la rivière, en écoutant les peupliers frois-
sés par le vent, en attendant quoi.

La nuit, combien de fois j'ai failli me relever pour
aller réveiller mes parents aussi, et les obliger à m'entendre quand je les imaginais sursautant, s'asseyant
dans leur lit et surtout effrayés de me voir surgir dans
leur chambre à n'importe quelle heure.

Et leur sourire, me pencher vers leurs oreilles de sourds, à moitié effrayés de me voir si proche d'eux, en pyjama, les yeux brillants, comme de la fièvre, comme si j'étais soûl, avec le tic-tac de l'horloge pour m'accompagner et eux pas sortis de leur sommeil de vieux, roupillant, ronflant encore à moitié, les yeux gonflés de sommeil, le corps au ralenti et le sang si froid dans les veines les empêchant de réagir, je les imaginais, combien de fois j'ai failli sauter de mon lit en pleine nuit et débarquer dans leur chambre à l'autre bout du couloir et débouler avec dans ma voix comme une fusillade pour dire que j'en avais vu, moi, des gars d'ici, de chez nous, des petits blancs faire de drôles de choses, et pas que les cinglés d'Indochine, pendant que vous m'imaginiez en train de sauver la paix eh bien moi avec les copains les week-ends on partait en jeep dans le désert et l'on faisait des courses et parfois souvent on chassait les gazelles, et j'imaginais leurs têtes, à mes parents, à m'entendre dire qu'on poursuivait les gazelles dans le désert et qu'on criait, torses nus, debout dans les voitures, et mon envie de les obliger, mes parents, à entendre, écoutez, écoutez jusqu'au bout, ça, les gazelles qui montaient dans les collines pour nous échapper et couraient face au soleil pour nous aveugler – on voyait les silhouettes, les petits nuages de poussière et la couleur fauve et blanche, et les cornes effilées et puis.

Et puis. Puis rien.

Rien.

Je me souviens de tout ça, avait raconté Février.

C'était ce soir où il était venu chez Rabut vider son sac, parce que, même s'il le disait en riant, même s'il racontait sur un ton presque anodin, il avait fini par avouer que son envie de revoir les copains, c'était d'abord l'envie de dire tout ce qui à force de croupir en lui devenait insupportable, trop présent, et qu'il s'était raconté qu'en parlant avec des gens comme lui il pourrait, comme il avait dit, crever l'abcès.

Mais non.

Il les avait tous vus, les uns après les autres.

La vérité c'est que le passé, le passé on n'en parle pas, il faut continuer, reprendre, il faut avancer, ne pas remuer. Et lui, il était resté seul à les entendre dire et redire, comme une incantation ou une prière, ce bout de phrase,

Refaire sa vie.

Et, à la fin, aucun n'avait voulu le laisser parler. Alors il était arrivé chez Rabut, celui qu'il connaissait le moins, mais c'était le dernier qu'il avait côtoyé.

Depuis des années il dort mal, Rabut, il cherche des réponses et tremble lorsqu'il imagine en trouver.

Avec les copains des anciens d'Afrique du Nord on rigole le samedi en faisant des banquets et des réunions. On pense aux copains, et puis aux Algériens aussi, à ce regret qu'on a de tout ça, de comment ça a pu arriver.

C'est ça qu'il se dit.

Et cette nuit encore il se réveillera et se souviendra et pourra se demander si c'est à cause du froid qu'il tremble, que son corps tremble, ou si c'est parce qu'il y a en lui cette voix qui ne sait pas se taire et murmure des souvenirs comme dans un champ de mines ou de ruines, des mots, des questions, des images, un amas compact et confus dont il ne sait pas tirer autre chose que de la peur et le mal au ventre.

Il va se lever et prendre un cachet parce qu'il dira avoir des brûlures d'estomac. Ou la gorge trop sèche. Peut-être mal à la tête. Et peut-être se faire un lait chaud, avec du miel, pour se détendre.

Non.

Parce que ça continue malgré lui, les images de ce vieux temps. Et Rabut se levant comme tant de nuits, vers trois heures, parfois quatre. Et alors il se rappellera Février lui racontant,

On était dans un entonnoir et ça allait tellement vite, c'est là qu'on a arrêté de parler des fells, là qu'on a dit bougnoules ou moricauds, tout le temps, parce que cette fois, pour nous autres, on avait décidé que c'était pas des hommes.

Et, comme à chaque fois, il faudra se dire,

Réveille-toi, Rabut, lève-toi.

Il se dira qu'il vaut mieux se lever et être franchement éveillé plutôt que cette espèce de demi-sommeil.

Et cette nuit-là, à penser à Bernard et à Chefraoui, à Solange aussi et à la stupidité de la journée, à cette journée.

Est-ce que demain j'irai là-bas, avec les gendarmes, chez Bernard ?

Est-ce que j'aurai la force ?

Est-ce que je –

Je me suis levé et j'ai pris ma robe de chambre, Nicole dormait, j'ai fait attention pour ne pas la réveiller – mais elle a autant l'habitude que moi de m'entendre traînant jusqu'à la salle de bains, allant pisser avant de m'asseoir dans la cuisine et attendre que les heures passent, devant une tisane ou autre chose, n'importe quoi pour occuper le temps – et cette nuit-là, alors, ça a été comme les fois les pires, où même en se réveillant et en se levant ni l'angoisse ni les images ne passent plus.

Et des journées comme aujourd'hui. Le visage de Bernard et l'air effrayé de Chefraoui.

Et alors ça revient.

Et comme un con, moi, à soixante-deux ans, comme un gosse j'ai eu peur du noir, il m'a fallu allumer, me redresser et me relever et sortir de la chambre, passer de l'eau sur mon visage, se rafraîchir, oui, se rafraîchir la mémoire aussi alors qu'enfin on voudrait juste que la mémoire nous foute la paix et qu'elle nous laisse dormir.

J'ai repensé à tout ça, et je me disais,

Qu'est-ce qui m'a échappé ? Qu'est-ce que je n'ai pas compris ? Il faut bien que quelque chose soit passé tout près de moi, que j'ai vu, vécu, je ne sais pas, et que je n'ai pas compris.

C'est pourquoi au lieu d'aller dans la cuisine et de m'asseoir à regarder soit dans le vide ou bien à attendre que le lait ou l'eau finisse par chauffer dans la casserole, je me suis dirigé vers l'entrée, parce qu'il y a un placard, dans le couloir.

Là, il y a tout un tas de choses, des bricoles, c'est là qu'on met des conserves et les bouteilles d'eau et de lait. Mais il faut un peu grimper, c'est ce que j'ai fait, j'ai mis le pied sur le bord de l'étagère du bas, j'ai saisi celle du haut et comme ça j'ai pu me hisser et rester debout et voir devant moi, tout en haut, ce qu'il y a, un tas d'objets plus ou moins inutiles, un Mille Bornes et un jeu de dames, des vieux boutons dépareillés dans une boîte de plastique et au fond cette boîte à chaussures, avec, derrière elle encore, presque inaccessible, le vieux Kodak dans son boîtier.

J'ai saisi la boîte à chaussures et je suis allé jusqu'au salon. J'ai posé la boîte sur la table basse et j'ai allumé la lampe. Je suis resté comme ça un moment, j'ai hésité avant d'ouvrir la boîte.

Il ne faut pas trop de lumière. La petite lampe et son halo vert émeraude, trop timide pour éclairer toute la pièce, c'est suffisant.

Pourquoi je fais ça, qu'est-ce que je cherche ?

Et aussi je me suis demandé depuis combien d'années je n'avais pas regardé ces vieilles photos, depuis des années si lointaines que j'avais du mal à les compter.

Et je me disais,

Toi, Rabut, penché sur une boîte, et ces photos tu vas les sortir quand même, pourquoi tu vas faire ça ?

chercher quoi ? il n'y a rien là-dedans, pas de réponse, je les connais toutes, ces images, ce que je vais y trouver je le sais déjà.

Et pourtant j'ai quand même ouvert la boîte, et dans les enveloppes de kraft j'ai senti l'épaisseur du tas de photos, dans chaque enveloppe un lot particulier, un format, des dates, au dos, écrites au crayon ou au stylo plume, et parfois des noms de villes qui ne me disent presque plus rien. Je me suis dit que bientôt les dates et les villes ne diraient plus rien à personne, que personne ne saurait plus les histoires autour des images ni même ce que signifiaient les noms, les lieux, au dos.

Et j'ai souri de ça, cette naïveté, avoir même gardé des tickets de trolleybus.

J'ai ouvert les enveloppes et toutes les photos comme des cartes à jouer sont tombées sur la table basse, et, pendant une seconde, je n'ai pas su dire lesquelles je voulais voir ni ce que j'attendais d'elles – parce que depuis longtemps j'avais renoncé à comprendre les mots que j'avais entendus de Février.

J'ai pris les premières images que j'avais devant moi.

Je me suis penché sur les photos, et les unes après les autres je les ai regardées. D'abord lentement. Puis de plus en plus vite. M'arrêtant sur certaines et au contraire glissant sur les autres, parfois y revenant, parce qu'un détail, une question, un visage. Et, bien sûr, j'ai reconnu des visages et des lieux, des rues, des places, les casernes, le poste où j'avais photographié Bernard et la petite Fatiha sur sa trottinette.

J'ai regardé longtemps la photographie où elle est de face et où derrière on voit la façade de sa maison. J'ai regardé longtemps son visage, son air sérieux et presque grave. Et puis, aussi, le fait qu'elle soit vêtue de noir.

Je me suis rappelé pourquoi pendant des années je n'avais pas pu regarder ce visage, sa dureté, et aussi ce que je m'étais dit déjà à l'époque, et qui était devenu tout de suite, très vite, presque, comment dire, insupportable. Parce que d'un seul coup son regard c'était comme une accusation. Comme si elle nous rendait responsables de sa mort, de tout, de la guerre. Comme si le fait d'être vêtue dans ces couleurs sombres c'était déjà porter le deuil du massacre à venir, comme si c'était son propre deuil, sa propre mort qu'elle portait.

Je me souviens. Comme une promesse de souffrance alors qu'on voudrait voir dans l'enfance une promesse de, c'est idiot, ce mot, de bonheur.

Je me souviens aussi quand Bernard m'avait écrit. Il était parti là-bas au fond des Aurès ou de la Grande Kabylie, ça non plus je ne sais plus, pas si loin du désert, et moi j'avais passé un peu de temps en prison à cause de cette bagarre et j'avais reçu de lui cette lettre – et j'aurais pu la chercher, elle devait être là, quelque part, dans une enveloppe. Je ne l'ai pas cherchée. Je n'ai pas voulu la chercher. J'ai hésité, mais, non, pour quoi faire ? Pourquoi relire encore les mêmes mots et revoir encore cette encre bleue du

Bic sur le papier à carreaux d'un cahier d'écolier où il me demandait de lui envoyer les photos que j'avais prises de la petite Fatiha ?

Je me revois encore lire cette lettre, la première fois, et la stupeur de n'y trouver que cette demande au sujet des photos et rien, pas un mot sur lui, sur cette maudite bagarre ni sur après, tout ce qui s'était passé après et cette date depuis laquelle nous ne nous étions pas parlé. La froideur, le détachement de sa lettre. Comme si on se connaissait à peine. Me demandant juste les photos et sans aucun commentaire sur rien, ce nouveau poste où il était, comment il allait, comment moi j'aurais pu aller après tout ça, et dire, je ne sais pas, des mots sur ce qui était arrivé.

Non. Rien. Juste une demande polie et son adresse.

Je me souviens d'être resté avec ma stupeur sur les bras à cause de cette façon de faire ; et de cette colère qui est montée contre lui. Alors, après plusieurs jours d'hésitation (parce que, au début, j'étais même résolu à ne pas lui envoyer du tout les images, j'avais écrit en ce sens à Nicole, non pas pour lui demander son avis mais seulement pour affirmer le mien, et puis j'avais douté), j'avais fini par céder, finalement j'ai cédé et je me revois encore préparant les clichés, cachetant l'enveloppe, je me souviens de lui avoir envoyé les doubles des tirages, j'avais juste écrit un petit mot sur une carte pour lui en souhaiter bonne réception, sans plus. J'aurais aimé que ce soit naturel aussi chez moi, l'indifférence. Mais non. J'ai dû me forcer. Parce que moi j'aurais pu lui parler de tout, et même, j'en aurais eu envie à ce moment-là. J'aurais pu lui parler de comment après j'avais hésité à lui demander pardon, parce que j'avais prononcé le prénom de Reine et que je n'aurais pas dû. Parce que, au fond, c'était un silence précieux entre nous, et qu'il aurait fallu ne pas y toucher.

J'aurais pu lui parler aussi du tribunal.

On s'y était aperçus une fois, entre deux couloirs, on s'était juste regardés, rapidement, sans rien se dire, comme des ombres, des inconnus qui se croisent et pensent avoir déjà vu cette tête quelque part, quand on a été jugés pour ce retard, pour déterminer les parts de négligence, de complicité, etc.

Février et lui qui voulaient être punis. Qui avaient demandé à être punis et n'avaient rien trouvé de mieux qu'à se faire envoyer là où ils pourraient vraiment combattre.

Et l'armée n'avait pas demandé mieux, les volontaires étaient rares.

J'ai regardé les photos avec leurs bords légèrement crénelés, et j'ai passé la pulpe de mes doigts sur les cadres blancs en bas-relief qui soulignent le tour de l'image, et à ce moment-là j'ai pensé qu'en Algérie j'avais porté l'appareil photo devant mes yeux seulement pour m'empêcher de voir, ou seulement pour me dire que je faisais quelque chose de – peut-être, disons – utile.

Après, je n'ai plus jamais fait de photographies.

Je suis resté comme ça et je n'ai pas vraiment vu les minutes, et bientôt plus d'une heure a passé, que je n'ai pas vue, parce que j'étais resté devant les photos. Et contrairement à ce que j'avais pensé en me disant à quoi bon les regarder, à quoi bon, je les connais toutes, je sais qu'aucune ne va m'apporter de réponses, qu'il n'y a pas de réponse et. Si.

Elles disaient des choses.

Elles disent des choses. Quelles choses. Derrière les visages d'abord. Oui, on les voit bien, les visages des jeunes gars de vingt ans. Tous ces gars que j'ai connus et dont les noms aujourd'hui s'effacent de plus en plus vite et que je mélange, et que je confonds.

Les dates, derrière les images, comme des codes devenus inutiles, toutes ces dates écrites à la plume, d'une belle écriture fine et travaillée, comme si ce n'était pas moi qui les avais écrites mais quelqu'un d'autre, peut-être Nicole lorsque j'étais revenu, elle qui avait voulu les classer, les nommer, je ne sais pas. Seulement, il y avait des jeunes hommes sur les photos et moi à trois heures du matin je les voyais me sourire et aussi plaisanter, jouant aux cartes, posant en short, torse nu, les lunettes de soleil, je me souviens des vêtements qu'on portait, je me souviens pourtant bien de tout, de nous, de ce qu'on disait. Mais pourtant c'est autre chose, c'est des sourires, des gamins qui jouent, ils sont là, devant moi, et je les trouve si maigres, si fins et désinvoltes aussi, et si copains aussi, ils sont en train de poser en riant et ils se prennent par le cou, ils rigolent et font les mariolles on dirait la cour de récréation.

La peur au ventre. Mais elle est où, la peur au ventre ? Pas sur les photos.

Aucune d'elles ne parle de ça.

C'est quoi alors, seulement, ce qui reste ?

Moi, je me disais, je suis là, j'ai soixante-deux ans et dans ce salon, là, à presque quatre heures du matin, je regarde des photos et mes yeux, les larmes, la gorge nouée, je me retiens pour ne pas tomber, comme si les sourires et la jeunesse des gars sur les photos c'était comme des coups de poignard, va savoir, qui on a été, ce qu'on a fait, on ne sait pas, moi, je ne sais plus. J'avais beau regarder encore les images et nous revoir, nous, les gars, photographiés à Oran dans des dancings, au Météore ou ailleurs, en maillot de bain au bord de l'eau, et moi avec une sorte de cape qu'on avait faite dans je ne sais pas quel tissu, et je porte comme un petit brancard en bois et de l'autre côté un autre gars tient, et au milieu sur la planche il y a une boîte grande comme une boîte à chaussures, mais je crois que c'est du bois, et dessus il y a cette croix qui est peinte en noir.

Et je suis resté comme ça à regarder cette image-là, longtemps. Est-ce que c'était ça, la mort ? Une boîte. Est-ce que c'était ce jeu ? Est-ce que c'était pour faire semblant et je me suis rappelé le Père Cent, quand on faisait ce petit rituel pour fêter l'idée et le début du décompte.

Dans cent jours on part.

Dans cent jours, c'est la quille, c'est fini, c'était fini ; et les autres images aussi, de la quille, cette image un peu floue où on est là dans la camionnette et sous les chapeaux et le soleil et les lunettes de soleil il y a les rires, l'un des gars tient une ardoise, dessus quelque chose est écrit, c'est à la craie, *Vive la classe !*, un autre porte aussi une quille autour du cou, attachée par une ficelle ; et je me souviens de mes mains qui ont tremblé et pourquoi moi j'avais besoin en regardant les photos d'aller de plus en plus vite, soudain, comme si je manquais d'air, de respirer, et je les ai regardées toutes une fois, puis deux, puis certaines j'ai voulu les regarder encore, et rien, jamais rien. J'ai été envahi par un grand vide, la sensation d'un grand vide, un grand creux. Et pourtant j'essayais de me rappeler. Pourtant il y avait des odeurs de paille brûlée et dans mes oreilles des cris, dans mon nez l'odeur de poussière et, devant moi, des chemins, des regards apeurés mais c'était où, ça, quelles photos, aucunes, trop occupées les photos à me dégager de tout, comme les choses qu'on a rapportées, ces roses des sables si ridicules quand j'y repense, mais qu'on a gardées et qui sont là, quelque part, dans le buffet de la salle à manger, à côté des souvenirs des vacances d'Espagne et des Baléares.

Et je me souviens de la honte que j'avais lorsque j'étais rentré de là-bas et qu'on était revenus, les uns après les autres, sauf Bernard – il se sera au moins évité l'humiliation de ça, revenir ici et faire comme on a fait, de se taire, de montrer les photos, oui, du soleil, beaux paysages, la mer, les habits folkloriques et des paysages de vacances pour garder un coin de soleil dans sa tête, mais la guerre, non, pas de guerre, il n'y a pas eu de guerre ; et les photos, j'ai eu beau les regarder encore et en chercher au moins une seule, une seule qui aurait pu me dire,

C'est ça, la guerre, ça ressemble à ça, aux images qu'on voit à la télévision ou dans les journaux et non pas à ces colonies de vacances, ni non plus à ces gens qui remplissent les rues d'Oran, et les magasins ouverts, la circulation dans la ville, et alors, pourquoi sur les murs que j'avais photographiés je n'ai pas trouvé un seul graffiti disant *l'Algérie vaincra*, pas un mur peint, gratté, poncé, repeint, pas un graffiti, pas une arme, rien, et pas autre chose que ce vide et ce beau temps monstrueux de soleil et de ciel bleu.

Les photographies de la mer.

Tous les gars sur le pont en train de fumer et de regarder la ligne d'horizon, brumeuse, lointaine – ou au contraire, dans la nuit, le vacarme des machines et du vent, l'étonnement que c'est pour un paysan de savoir l'hélice hors de l'eau, comme si le bateau allait s'envoler et son fracas lorsqu'il retombe, le sol si instable et mouvant.

Sur certaines photos, c'est seulement le flou dans le lointain, sans qu'on puisse deviner alors si c'est l'arrivée ou le départ. La seule chose dont je me souvienne, c'est que la première fois où j'ai vu la mer c'était à Marseille, le temps était froid et gris, et j'allais embarquer pour l'Algérie.

MATIN

Lorsque j'ai sursauté, je n'ai pas su si c'était parce que j'avais dormi ou si j'avais entendu du bruit dans le couloir.

Je me suis redressé et j'ai saisi les photographies, comme ça, à pleines mains, sans faire attention, tout à l'urgence de les remettre dans les enveloppes, sans les trier, puis de jeter les enveloppes dans la boîte à chaussures. Comme si j'avais voulu que Nicole ne me voie pas. Comme si j'allais devoir me justifier d'être là et de regarder ces vieilles images, et dire quoi, redire quoi quand je me suis levé et que, très vite, j'ai traversé le salon pour aller remettre la boîte à chaussures où je l'avais prise, dans le placard de l'entrée.

Nicole était là, devant moi.

J'ai fermé la porte du placard et je l'ai vue qui attendait et me regardait, le peignoir ouvert, et les yeux – elle a réfléchi et n'a pas posé de questions, elle a refermé son peignoir, elle a posé une main sur le radiateur, et puis je sais qu'elle aurait voulu me demander pourquoi je ne dormais pas –, et les yeux fixés de nouveau sur moi pour me demander ce que je faisais là, avec cet air hagard ou embarrassé que je devais avoir.

Et alors, elle aura peut-être voulu me dire l'heure qu'il était, si tôt déjà, encore si tôt,

Tu es levé depuis quand, viens te recoucher, viens dormir, tu as besoin de dormir, dans une heure on va se lever – mais elle n'a rien dit.

Elle a juste demandé si je voulais mon café tout de suite. J'ai répondu que j'allais le faire, qu'elle pouvait retourner se coucher. Parce qu'il y avait ça aussi que j'avais envie de rester seul, d'attendre encore, de réfléchir, peut-être, ou même seulement entendre le café dans la cafetière, l'entendre d'abord couler et puis entendre le claquement sec de la résistance et enfin verser le café, sentir son odeur, la chaleur à travers le bol et boire lentement, à petites gorgées, comme à tâtons, comme on marche pas à pas, et venir comme ça vers la journée, doucement, et me ressaisir aussi, doucement.

Je suis resté seul à boire mon café, dans la cuisine. Là, je me suis demandé ce qui allait se passer, comment j'allais faire pour aller jusqu'à la place de l'église, ou peut-être avant chez Solange, je me suis demandé.

Je ne voyais rien, pas un mètre d'avenir devant moi.

J'ai passé mon vieux manteau de laine, j'ai pris mes bottes, des gants, et j'ai marché pendant presque une heure dans les champs. J'ai remonté comme ça dans la terre gelée et au loin j'ai vu le ciel qui se levait, la nuit se dissoudre, lentement, des filaments bleu pétrole et rosés s'étirant et le ciel presque blanc au loin, les corbeaux dans les arbres noirs. Les premières maisons neuves. Les poteaux électriques le long de la route. J'ai vu ça et j'ai goûté le froid, le souffle blanc qui sortait de la bouche et du nez et aussi le silence comme une image dans du papier cristal, une image gelée et froide aussi, mais pas triste – je n'étais pas triste, seulement inquiet de savoir comment j'allais faire tout à l'heure.

Et aussi, je me disais,

Non, peut-être que je ne vais rien faire, je vais attendre chez moi et je ne vais rien faire.

Je me suis demandé pourquoi moi, maintenant, je repensais à Bernard. Seulement à lui.

Et j'ai dû m'avouer que ce que je détestais en lui maintenant ce n'était pas lui, ni ce qu'il avait été quand il était jeune, ni rien de lui, mais seulement de le voir tous les jours, lui, dans la rue, dans la vie, traînant dans tout son corps et sa présence et même aussi dans sa façon d'être devenu ce qu'il est devenu, notre histoire à tous les deux. Et, ce qui me gêne, c'est qu'il est devenu ce que j'aurais dû devenir aussi si j'avais été capable de ne pas accepter des choses.

Mais maintenant je peux rester chez moi, là, m'asseoir et me dire qu'il faut chasser toutes ces images, et répondre oui lorsque j'entends Nicole,

Tu veux un autre café ?

Oui.

Ne pas réfléchir et reprendre le bol que j'avais mis dans l'évier. Puis regarder l'eau du robinet couler dans le bol. Le remplir et laisser l'eau déborder et ressortir en jaillissant comme une fontaine. Et alors nettoyer le bol, le rincer, réchauffer ses mains sous l'eau chaude et l'essuyer avant de le tendre à Nicole. Elle, je ne l'ai pas regardée, sans doute elle savait à quoi je pensais.

Et pourtant, est-ce que je lui ai raconté des choses de là-bas ? Est-ce que quand je suis revenu de là-bas j'ai pris le temps de dire,

Nicole, tu sais, on pleure dans la nuit parce qu'un jour on est marqué à vie par des images tellement atroces qu'on ne sait pas se les dire à soi-même.

Je me suis assis et j'ai bu le café les yeux plongés dans mon bol pour ne pas voir, me laisser seulement tourner l'estomac par trop de café, et j'ai repensé aux fourmis qui venaient sur nos mains quand on attendait avec le fusil, toute la journée, de garde, dehors, lorsqu'on guettait je ne sais pas quoi, une mechta, une grotte, un bosquet, des broussailles.

Et alors je me souviens de comment on devenait fous avec les insectes et on les voyait partout, dans les murs, dans les têtes ; on se grattait à cause de la saleté et des insectes, mais parfois c'était seulement des grains de sable.

Avec mon café, je n'ai pas pu lever la tête et même entendre seulement Nicole qui bougeait, se levait, s'asseyait, c'était douloureux d'entendre des bruits de vaisselle, de placard qu'on ouvre ou qu'on referme. Je me souviens de sursauter pour un rien. La fatigue. Je me disais,

C'est à cause de la fatigue. Je n'ai pas dormi, pas assez, et c'est pour ça et pas du tout à cause de cette cour carrée que je revois toujours d'en haut, d'une loggia, une seule image que j'ai en tête, le carré de terre, c'est blanc, un peu jaune, et je me raconte qu'au début j'ai tellement aimé la fraîcheur, quand on m'a collé là à garder les prisonniers. Et puis –

Les cris, les pleurs, les râles. Les silences trop longs.

Et puis –

Et puis j'ai roulé comme ça jusqu'à la place de l'église et bien sûr il n'y avait encore personne sur la place, ni sur la place, ni sur la route.

Je n'ai croisé personne dans le petit matin, trop tôt, la route encore trop grise, et quand je me suis arrêté sur la place de l'église, je n'ai pas osé couper le moteur. Je suis resté comme ça, combien de temps, une bonne vingtaine de minutes et pendant un instant j'ai écouté les infos à la radio – enfin, je n'ai pas vraiment écouté, j'ai laissé les voix emplir la voiture comme le faisait aussi la soufflerie du chauffage. J'ai ouvert la vitre et je me suis penché, l'air glacé m'a saisi. J'ai entendu les cloches. Il était sept heures un quart ou la demie, je ne savais pas, et je me disais bientôt ils vont venir, ou peut-être, non, pas bientôt, tout à l'heure, dans une heure ou deux.

Je me disais c'est inutile de rester là, d'attendre.

J'ai pensé que Patou allait bientôt ouvrir, et que, pourquoi pas, je pourrais aller là-bas reprendre un café. J'ai pensé ça et pourtant sans réfléchir j'ai baissé le frein à main et lentement j'ai fait démarrer la voiture. Alors que j'aurais pu sortir et à pied aller jusque chez Patou.

Mais non.

J'ai remonté la vitre et je suis parti. J'ai roulé très lentement.

Sans trop savoir où j'allais.

Ce que j'ai compris à ce moment-là, c'est que j'avais décidé de ne pas accompagner les gendarmes chez Bernard. Que je n'irai pas boire un café non plus ni revoir Patou pour l'entendre si tôt le matin me dire,

Peut-être qu'il va s'excuser et que les Chefraoui ne porteront pas plainte, peut-être que,

Peut-être que ça n'a aucune importance, tout ça, cette histoire, qu'on ne sait pas ce que c'est qu'une histoire tant qu'on n'a pas soulevé celles qui sont dessous et qui sont les seules à compter, comme les fantômes, nos fantômes qui s'accumulent et forment les pierres d'une drôle de maison dans laquelle on s'enferme tout seul, chacun sa maison, et quelles fenêtres, combien de fenêtres ? Et moi, à ce moment-là, j'ai pensé qu'il faudrait bouger le moins possible tout le temps de sa vie pour ne pas se fabriquer du passé, comme on fait, tous les jours ; et ce passé qui fabrique des pierres, et les pierres, des murs. Et nous on est là maintenant à se regarder vieillir et ne pas comprendre pourquoi Bernard il est là-bas dans cette baraque, avec ses chiens si vieux, et sa mémoire si vieille, et sa haine si vieille aussi que tous les mots qu'on pourrait dire ne peuvent pas grand-chose.

Je n'irai ni chez Patou ni chez Solange, ni chez personne qui pourrait encore être tenté de me dire, de m'expliquer, de vouloir me convaincre.

Je n'ai rien à apprendre. Rien que je veuille savoir. Rien que je veuille recommencer à entendre, à attendre, à revivre à part que, peut-être, je voudrais savoir pourquoi on fait des photos et pourquoi elles nous font croire que nous n'avons pas mal au ventre et que nous dormons bien.

Algérie. Oran. 1961.

Je me revois, j'avais regardé à côté d'elle, sur la table de la terrasse du café où nous nous étions retrouvés, son sac à main avec les deux scoubidous qui pendaient à la fermeture Éclair. C'est moi qui avais donné l'adresse de Bernard à Mireille, parce qu'elle était vraiment effondrée, et confuse aussi, se répandant en excuses auprès de moi, comme si on avait pu éviter cette bagarre et que tout était à cause d'elle. J'ai dit, non, vous ne pouviez pas savoir.

Mais si j'étais venue.

Si vous étiez venue, oui.

Et elle avait continué comme ça, et elle était inquiète, elle voulait retrouver Bernard et lui expliquer pourquoi ce jour-là elle n'était pas venue – son père, ses pieds de vignes arrachés, son père qui avait maudit l'armée française incapable de le défendre. C'est tout. Et maudit tous les appelés aussi, le subterfuge de de Gaulle pour éviter un putsch. C'est ça que son père avait raconté. Et les autres filles n'étaient pas venues à cause d'elle, elle avait téléphoné, elles avaient décidé de ne pas sortir sans elle.

Ce qu'elle savait, par contre, c'était comment au fur et à mesure elle voyait autour d'elle le monde en train de s'effondrer, et les amitiés aussi, les amis qui ne lui parlaient plus. Elle parlait de Philibert en disant qu'il était un traître, et je me souviens même qu'elle a dit ça avec dans la voix une colère si forte que même sa voix avait paru plus grave, presque masculine ; et elle avait remis ses lunettes pour disparaître derrière elles et continuer, sur Philibert et ses copains espagnols,

Tous des communistes, tous d'accord avec des terroristes, ils sont pour les terroristes et l'indépendance, et maintenant ils disent qu'à cause des gens comme mon père tous les pieds-noirs vont être détestés partout, par tout le monde, que personne ne voudra de nous, qu'on va perdre ici, qu'on sera chassés d'ici, de chez nous, et qu'en France on nous regardera avec mépris, dédain, avec haine, c'est ça qu'il dit, Philibert, il parle de l'Histoire avec un grand H et il prétend que nous aurons tort parce que nous aurons été d'un autre temps, trop égoïstes, aveugles, et quand j'ai dit ça à mon père, il m'a interdit de le revoir. Mais je n'ai plus envie de le revoir. Ni Philibert ni les Espagnols, ni aucun d'eux, avait-elle dit.

J'ai roulé en remontant vers la Migne, et puis j'ai longé plus loin, vers La Croix des Femmes Mortes, et de là-haut j'ai regardé en contrebas les hameaux, la neige, les champs figés ; et j'ai roulé plus vite. Sans penser. Sans réfléchir. Simplement je me souvenais d'elle, Mireille, de comment je l'ai revue, quelques fois, et surtout cette fois-ci dans le quartier de Choupot en 1962, mais ce n'était vraiment pas longtemps avant que tout soit terminé, c'était peut-être dans le premier bar où l'on s'était vus.

Et cette fois encore elle était seule.

Je l'ai vue boire un café, livide, les mains tremblantes, fumant cigarette sur cigarette. Et elle a tout déballé comme ça, à moi, le premier venu, un bidasse dont elle ne savait presque rien, et même qu'elle aurait dû snober et détester parce que c'était à cause de moi qu'elle ne voyait plus Bernard. Mais non. Elle ne me détestait pas. Elle ne m'aimait pas non plus. Elle avait juste besoin de parler. De parler à quelqu'un qui peut-être connaissait Bernard, et j'étais son cousin, celui qui lui avait donné son adresse, et elle m'avait raconté – d'abord elle n'avait pas voulu retirer ses lunettes, et c'est seulement parce que j'avais insisté qu'elle avait consenti à seulement les relever pour, oui, me montrer, que je vois,

Il devient fou, a-t-elle dit, papa devient fou,

Et honteuse et blême elle avait baissé les yeux devant sa tasse pour raconter comment son père était devenu fou de rage parce qu'il avait trouvé les lettres de Bernard, et qu'en les lisant il avait tout compris, oui, de ce qu'ils voulaient tous les deux, aller à Paris, se marier, travailler là-bas, avoir des enfants. Le père avait hurlé et giflé sa fille – non, pas giflé, ce que j'ai

275

vu, ce n'est pas une gifle qui fait ça, et pourtant c'est le mot qu'elle avait dit,

Il m'a giflée.

Elle n'avait pas crié. Elle s'était laissée frapper parce qu'elle savait n'avoir rien à répondre quand il hurlait,

Tu ne partiras pas, ceux qui partent sont des traîtres et les traîtres on les tue, c'est tout, et l'armée, un bidasse, les troufions de de Gaulle qui laissent les autres piller et dévaster et tuer, et nos terres, nos maisons, tout ce qui est à nous, avait-il hurlé, ils n'auront rien et toi je t'interdis de bouger.

Et elle m'avait raconté tout ça, qu'elle n'avait ni crié ni bougé quand son père l'avait frappée. Qu'elle avait su retenir ses larmes. Elle était fière, même à ce moment-là, orgueilleuse de me raconter qu'elle avait enduré les coups sans broncher, parce qu'elle respectait son père.

Et elle souriait. Je me souviendrai de ça, qu'elle souriait.

Et ce sourire, je me souviens aussi m'être demandé si ce n'était pas le plus dérangeant dans tout ça, plus que les traces, les marques violacées autour de son œil, plus que cette valise à côté d'elle, qu'elle m'avait dit avoir bouclée le matin même.

Et moi sur la route j'ai pensé que pas une seule fois Bernard n'avait reparlé d'elle, de comment ils avaient vécu ensemble dans la région parisienne et comment aussi, je me souviens, comment rien ne pouvait être vraiment surprenant non plus, ses mains trop douces, pas faites pour le travail. Elle n'y croyait pas du tout, à la fin de l'Algérie française. Elle était dans son rêve et elle ne croyait pas du tout qu'elle aussi elle se retrouverait à devoir partir comme les autres, sans l'avoir choisi, sans l'espoir d'un retour.

Et pourtant ça a eu lieu. Et pas quand je l'ai vue, là, avec sa valise, mais quelques semaines plus tard. Et là, ce n'était pas du tout pareil, c'était fini, je me souviens d'un seul coup que c'était fini, les accords d'Évian signés si loin de là où nous on était, et tout revenait vers nous comme les cris de joie, des youyous, les klaxons des voitures et Oran dans une folie impossible à dire, à décrire ; je me souviens de comment nous on sillonnait la ville et comment soudain la ville n'était plus la même, tous ces gens qui d'un seul coup laissaient devant nous, sans peur, enfin sans peur, échapper une joie qu'ils avaient sur le cœur et que rien ne retenait plus, un peuple entier debout et fou de liberté, tout à coup, comme si en les regardant on était face à ce que nos parents avaient connu un peu moins de vingt ans avant, quand les Allemands ont quitté la France, ce bonheur, la liesse, le grand bonheur dont est capable la foule quand elle déborde d'elle-même, je me souviens de ça, l'émotion si folle, si belle, des Algériens –

et c'est là que la voiture a glissé.

Légèrement. Une plaque de glace, du verglas. J'ai roulé un peu trop vite, trop à droite. La voiture a glissé. J'ai senti qu'elle glissait – mais lentement, doucement, j'ai pensé à ne pas freiner, ralentir, laisser la voiture glisser.

Et puis elle a versé dans un fossé.

Ça s'est fait doucement, sans violence. La voiture a glissé sur la droite, entièrement, tout le côté droit. Le fossé n'était pas très profond, suffisamment pour que je ne puisse pas dégager la voiture tout seul. Alors j'ai ouvert la portière, et j'ai essayé de sortir de la voiture. Je n'ai pas réussi. Ou j'ai renoncé, je ne sais plus. La route resterait déserte encore peut-être une heure ou deux, peut-être plus, un dimanche matin, si tôt, je me suis dit que personne ne passerait par là avant longtemps.

J'ai refermé la portière et j'ai regardé sur ma gauche le petit bois dont les cimes des arbres les plus proches venaient recouvrir de leur ombre une partie de la route. De l'autre côté, sur la droite, il y avait des champs. C'est-à-dire seulement une étendue de neige, très loin, très vaste, jusqu'en contrebas où il y avait une ferme. Mais c'était très loin. Pas un bruit. Ou seulement ces croassements dans les arbres, le bruit des grincements des branches humides entre elles.

Et moi, dans la voiture.

J'ai laissé le moteur tourner au ralenti pour avoir un peu de chauffage. Puis j'ai coupé le moteur. Et je me souviens, devant moi, la petite route goudronnée qui continuait tout droit, et rien devant, rien, et rien non plus que cette remontée en moi et cette envie de, ce débordement – les mains trop fragiles de Mireille, elle qui n'avait pas la moindre idée de ce que ce serait de gagner sa vie en faisant des ménages ou de la couture, elle qui n'avait pas la moindre idée de ce que ce serait de se retrouver avec Bernard, là-haut, qui n'aurait pas son garage, jamais, et qui travaillerait chez Renault, à la chaîne, comme tout le monde, à l'usine, et les cadences, les horaires, le métro, cette vie dont elle n'avait pas idée et où ni la jeunesse, ni l'Olympia, ni Bécaud, ni les bords de Seine, ou alors parfois, le dimanche matin, de temps en temps, ne l'attendraient jamais que comme un grand manque, un rêve avorté et dont elle porterait le deuil, comme elle le dirait sans doute à ses parents dans de longues lettres de regrets et d'excuses que le père n'ouvrirait jamais.

Et elle en voudrait à Bernard, elle en ferait son coupable, puisqu'il en faudra un.

Je m'en suis douté dès le début, dès que je l'avais vue attendre tout de lui, et trop de tout, attendre tout alors qu'elle ne comprenait pas que plus jamais la vie ne serait facile pour elle, comme elle n'a pas compris le jour où elle avait vu son père prendre les armes et se poster à sa fenêtre pour tirer sur les premiers qui approcheraient, elle a vu ça, elle a vu un monde frémir et tomber qu'elle croyait éternel et fort et qu'elle a vu sombrer dans le printemps, elle a vu des hommes poussant des voitures, la Dauphine, l'Aronde, comme ça, à plusieurs, des voisins qui aident pour pousser la voiture qu'ils ont mis des années à payer et qu'elle tombe par-dessus le parapet dans un bruit de ferraille comme du papier bonbon qu'on froisse et qu'on jette, et on ne laissera rien, on ne laissera rien à personne, c'était sur tous les visages, on ne leur laissera rien, et elle a vu des femmes et des petites filles et des garçons qui pleuraient et croyaient qu'ils allaient mourir ici,

279

abandonnés, seuls, et autour d'eux il y avait des hommes, des voisins, des oncles, c'était les hommes et eux ils ne voulaient rien laisser, à coups de hache ils débitaient les meubles, les vieux meubles de famille on les jetait par les fenêtres, et des appartements on sentait l'odeur du feu, on brûlait les meubles dans les cours, dans les jardins, on cassait la vaisselle, tout, rien ne restera que des mines défaites et des visages hagards sur les bords des routes, sur les quais, à l'aéroport, et tout à coup des rues entières où des camionnettes chargées jusqu'à en dégueuler, des hommes debout sur les cale-pieds pour maintenir des chaises, des tables, cigarette au bec, des employés, des visages qu'on a vus tous les jours, pendant des années, et maintenant ils allaient partir et disparaître et se dire qu'ils ne reviendraient jamais ici et qu'en France on les verrait venir, les colons, ceux qui se dépêchaient de revendre une misère, avant de partir, des commerces qu'ils abandonnaient la rage au ventre, la mort dans l'âme, toute leur vie et les corps des ancêtres moisissant dans des cimetières qu'on ne verrait jamais plus et que les herbes vont ravager – et cette liesse encore je m'en souviens et des tireurs isolés aussi, là-haut, dans les immeubles, ou au-dessus, des gars qui tiraient, qui croyaient pouvoir se mettre tout le monde à dos et continuer comme ça alors que c'était fini, et à la fin c'était des tirs qui venaient des beaux quartiers, c'était des tirs qu'on n'entendait pas sous les youyous, et les femmes et les enfants dans la rue, et les drapeaux soudain qu'on a vus dressés comme venant de nulle part, ce drapeau algérien dont

Mireille ne savait même pas qu'il existait et qu'elle aura vu à un moment où elle s'est retrouvée toute seule dans la rue, je le sais, je l'ai vue après, sur le quai, elle était sur le quai et là-bas nous on regardait les bateaux et les gens qu'il fallait guider, aider, ces gens qui pleuraient, les gens qui avançaient, droit devant, sans se retourner, les gens qui se battaient pour un rien, entre eux, et que nous les militaires on devait séparer parce que l'un avait à peine bousculé l'autre, et tout de suite on était prêt à s'entretuer, les femmes et les enfants dans les bras, les enfants et les poupées dans les bras, et les poupées au regard vide, bleu ciel, du bleu du ciel, le ciel livide et par chance la mer était douce et les bateaux qui partaient et qu'on voyait laissant dans leur sillon un remugle d'écumes et des nuques obstinées à ne pas se retourner sur ce qu'elles laissaient, et droit devant, regardons ce que nous serons, tout ce que nous serons, c'est comme ça qu'ils s'en sortaient, sans comprendre, les valises dans les bras et d'autres qui retardaient le moment, d'autres qui riaient, j'en ai vu qui riaient et faisaient de grands gestes pour saluer, en fumant, en faisant les pitres pour chasser la peur du lendemain comme une blague de collégien, et aussi c'est qu'il faudra bien le – l'avouer, le dire, le visage des autres, ceux dont on voudrait ne pas parler, comme j'ai vu ce lieutenant fondant en larmes parce qu'il ne pouvait pas leur répondre, leur dire qu'on les laisserait, qu'on les abandonnerait, ils ne l'auraient pas cru, aucun d'eux n'aurait cru, on leur avait promis, l'armée, la France, tout le monde avait promis et personne n'a

:nu la promesse et moi je me souviens, et d'autres se souviennent, et tous on se souvient des harkis qu'on nous a obligés à faire redescendre des camions qui partaient, et aussi les coups de crosse pour qu'ils ne montent pas dans les camions, leurs cris, la stupeur, l'incrédulité sur les visages, ils n'y croyaient pas, on n'y croyait pas non plus et pourtant on le faisait, les coups de crosse sur les mains pour qu'ils ne montent pas, qu'on les laisse crier, hurler, pleurer et on les a laissés parce qu'on les a abandonnés et trahis et on savait ce qui allait arriver, leur arriver, par milliers, et Idir comme les autres, Idir parmi les autres, son visage qui s'efface dans la mort des autres, de tous les autres, je sais très bien parce que moi je l'ai vu, ça, j'ai vu aussi comment par centaines on les a obligés à boire de l'essence et comment on a mis le feu et les corps qui ont brûlé comme ça – Idir est mort et moi je n'ai rien fait que de regarder ça en me demandant ce que je voyais et si je voyais et si j'entendais des hommes qu'on a trahis et le drapeau algérien et les youyous et les fous furieux de l'OAS qui traînaient dans les rues pour abattre tous les Européens qui voulaient partir, et sur les murs, l'OAS, partout l'OAS, les attentats encore, jusqu'au bout, des vitres qui s'effondrent, des corps qui tombent dans la nuit, et des chiens qui traversent les trottoirs pour un morceau de viande dans une poubelle, la poubelle qui tombe et nous autres, encore là pour quelques semaines, on attendait que ça finisse, de repartir, de quitter l'Algérie, de dire c'est fini –

et.

Je suis resté dans la voiture comme ça. Et alors tout à coup j'ai été heureux que la voiture soit bloquée dans la neige, que je ne puisse plus bouger, plus du tout. J'ai pensé qu'il fallait attendre comme ça, que c'était bon aussi, un moment, que rien ne bouge et rester comme sur un fil. Un moment j'ai écouté un peu la radio, puis rien que le silence. J'ai repensé à Bernard, à Chefraoui. J'ai repensé à Solange, qui devait être avec les gendarmes.

Je me suis dit pour la première fois que j'avais envie de retourner là-bas, peut-être, et que je voudrais voir s'il y a des fermes avec des cours carrées et presque blanches et s'il y a des enfants qui jouent au ballon pieds nus. Je voudrais voir si l'Algérie existe et si moi aussi je n'ai pas laissé autre chose que ma jeunesse, là-bas. Je voudrais voir, je ne sais pas. Je voudrais voir si l'air est aussi bleu que dans mes souvenirs. Si l'on mange encore des kémias. Je voudrais voir quelque chose qui n'existe pas et qu'on laisse vivre en soi, comme un rêve, un monde qui résonne et palpite, je voudrais, je ne sais pas, je n'ai jamais su, ce que je voulais, là, dans la voiture, seulement ne plus entendre le bruit des canons ni les cris, ne plus savoir l'odeur d'un corps calciné ni l'odeur de la mort – je voudrais savoir si l'on peut commencer à vivre quand on sait que c'est trop tard.

CET OUVRAGE A ÉTÉ ACHEVÉ D'IMPRIMER LE
VINGT-DEUX JANVIER DEUX MILLE TREIZE DANS LES
ATELIERS DE NORMANDIE ROTO IMPRESSION S.A.S.
À LONRAI (61250) (FRANCE)
N° D'ÉDITEUR : 5332
N° D'IMPRIMEUR : 130179

Dépôt légal : février 2013

Henri Alleg, *La Question.*
Yann Andréa, *M. D.*
Pierre Bayard, *L'Affaire du chien des Baskerville.*
Pierre Bayard, *Qui a tué Roger Ackroyd ?*
Samuel Beckett, *L'Innommable.*
Samuel Beckett, *Malone meurt.*
Samuel Beckett, *Mercier et Camier.*
Samuel Beckett, *Molloy.*
Samuel Beckett, *Watt.*
François Bon, *Sortie d'usine.*
Michel Butor, *L'Emploi du temps.*
Michel Butor, *La Modification.*
Éric Chevillard, *Du hérisson.*
Éric Chevillard, *La Nébuleuse du crabe.*
Éric Chevillard, *Oreille rouge.*
Éric Chevillard, *Palafox.*
Éric Chevillard, *Le Vaillant petit tailleur.*
Marguerite Duras, *Détruire dit-elle.*
Marguerite Duras, *Emily L.*
Marguerite Duras, *L'Été 80.*
Marguerite Duras, *Moderato cantabile.*
Marguerite Duras, *Savannah bay.*
Marguerite Duras, Xavière Gauthier, *Les Parleuses.*
Marguerite Duras, Michelle Porte, *Les Lieux de Marguerite Duras.*
Tony Duvert, *L'Île Atlantique.*
Jean Echenoz, *Cherokee.*
Jean Echenoz, *L'Équipée malaise.*
Jean Echenoz, *Les Grandes Blondes.*
Jean Echenoz, *Je m'en vais.*
Jean Echenoz, *Lac.*
Jean Echenoz, *Nous trois.*
Paul Éluard, *Au rendez-vous allemand*
  suivi de *Poésie et vérité 1942.*
Christian Gailly, *Be-Bop.*
Christian Gailly, *Les Évadés.*
Christian Gailly, *Les Fleurs.*
Christian Gailly, *L'Incident.*
Christian Gailly, *K.622.*
Christian Gailly, *Nuage rouge.*
Christian Gailly, *Un soir au club.*
Anne Godard, *L'Inconsolable.*
Bernard-Marie Koltès, *Une part de ma vie.*
Hélène Lenoir, *La Brisure.*
Hélène Lenoir, *L'Entracte.*